JN091243

気功奥義
解説書

中国上海気功老師
盛鶴延

自分の健康を、
自分で守るために大切なこと。

はじめに

読者の皆さま、こんにちは。

気功は中国健康文化の一つで、歴史的には鍼や指圧などの治療法よりもずっと古いものです。気功の基本は自分で自分を治療することです。

誰でも自分で自分を治す力、いわゆる自然治癒力を持っていますが、現代人はこの自然治癒力が弱っています。しかし、自分で自分の健康を守ることができるようになったらよいですよね。

気功は自分の健康を自分で守るための方法です。

易しい動作をして、気功の特別な呼吸法をして、そこに意識を加えることで高い効果が出ます。誰でもどこでもできますが、形だけをただ真似しても、そのやっていることの意味、根本を理解しないと効果はありません。なぜなら、そこに健康と密接に関係する奥義が秘められているからです。

気功はこの奥義を理解しないと、どんなに長い時間練習しても意味がありません。しかし、その多くは各流派の秘伝として隠されているため、自分で理解するには相当な時間がかかります。こういうものは先生からきちんと教えてもらわないといけません。

一九九六年、最初の著書『気功革命』を書いた時は、気功とは何か、その根本的な考え方をお伝えすることが目的でした。その後『気功革命』シリーズを何冊か出版し、最後に私自身の集大成として『気功革命 秘伝奥義 集大成（以下『奥義』）』を二〇一八年に出版しました。おかげさまでどの本も評判は悪くありません。

特に『奥義』では、多くの気功法と、今まで明らかにしてこなかった気功奥義をお伝えしました。また、最後に掲載した「気に関する三二の言葉」は、本の中では簡単に説明しましたが、これは福建省医科大学の中国人の教授からいただいたもので、ひとつひとつの言葉に深い内容が含まれています。専門の方が見るとわかると思います。

ただその一方で、『奥義』は内容が深く、気功法も多く紹介していた分、これから気功を学ぼうと思っている方の中には、自分はどう学んでいけばよいのか、どこから気功の世界に入っていけばよいのか、少し難しく感じた方もいたかもしれません。

私は以前から、知識だけあっても、実際に自分で気功を行えるようにならないと、少し足りないと思っています。なぜなら、それは頭で理解しただけ、知識だけの世界だからです。それでは気功の本当の世界を理解することはできないでしょう。

そこで今回は、健康になるための気功奥義を、初めての方にもわかりやすく解説する本を書きたいと思いました。

この本には『奥義』とつながっている部分があります。『奥義』での基本的な知識や実用的な気功法を厳選してお伝えしています。

今回紹介する気功法の数はやや少ないかもしれません。でも、数がたくさんあっても、結局はわからなくなってしまいます。それよりは数を絞り、大事な良い気功法をひとつひとつ学んでいった方が最終的に自分のものになります。

実際、あるとても良い気功法を繰り返し練習すると、他の気功法とも何となくつながる感じが出てきます。練習すればするほど、その中にある奥義の部分が出てきて、形だけではなく、意識レベルが変わってきます。

気功は、本を読んだだけで百パーセント理解することは難しいかもしれませんが、三分の二でも理解できれば、それはすごく良いことですよね。

そのためにも、気功に興味がある方、これから気功を始めてみようと思っている方が、本を読んで自分で学べるように、読みやすくわかりやすく解説します。そして、できれば皆さんも気功をして健康になっていただきたい。

それがこの本を書く目的です。

気功はあくまでも手段です。

自分、家族、周りの方、みんなが健康で幸せに生きるための方法です。

ただ、気功は今日、明日で何か成るというものではありません。本当に気功を学びたいのでしたら、まずはゼロから、ゆっくりゆっくり、一歩一歩やることです。そうでないと、本を読んでも、教室に通っても、面白いことは面白いけれど、結局はなんにもならないからです。

まずは自分が毎日気功をする。

百パーセント健康にならなくても、九〇、九五パーセント健康になればいいじゃありませんか。健康にはやはり何パーセントかは遺伝的要素が関係するのです。でも、気功をしないと六〇、七〇パーセントぐらいかもしれないところが、気功をすれば九〇パーセントぐらい健康になれる。病気があっても軽くなる。治療しても早く治る。また精神的なことも気功をするとよくなります。

私がお伝えする気功法は簡単すぎると思う方もいるかもしれません。しかし本当に良い気功法です。健康への考え方、心の持ち方、人生の考え方。私は真面目な方がよいと思っています。もし皆さんも同じ考え方でしたら、いっしょに堂々と真ん中の道を歩いていきましょう。

二〇二三年四月

盛　鶴延

目次

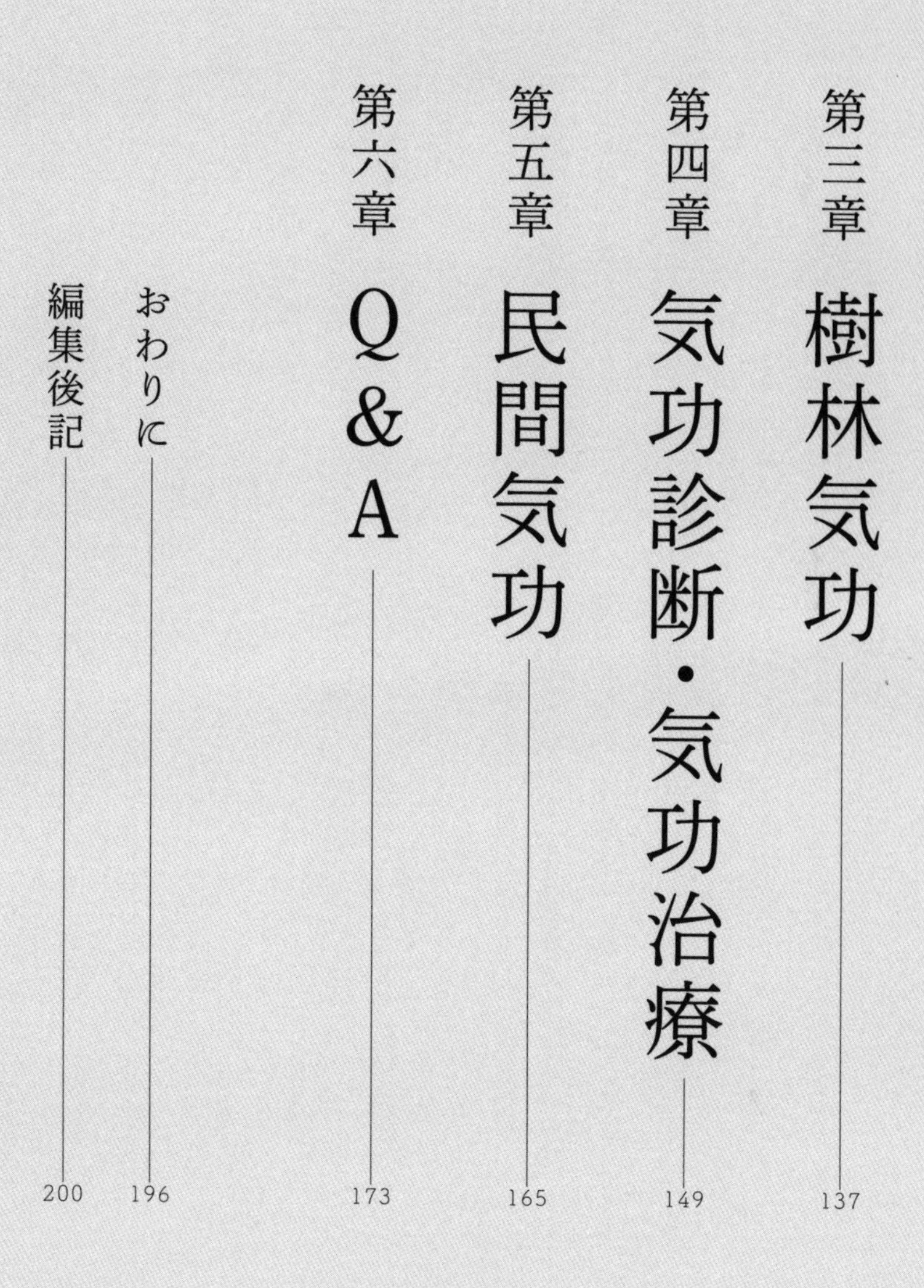

本書に出てくる言葉

丹田

気が集まるところ、核となるところ。上丹田（第三の目）、中丹田、下丹田の三つがあります。

経絡

経絡とは経脈と絡脈を合わせたもので、中医学でいう気、血を全身に運行させる通路。全身に張り巡らされていて、身体の各臓器や筋肉、皮膚などをつないでいます。

正経十二経脈

十二本の経脈からなります。身体の両側に左右対称に分布し、手か足、陰か陽、臓か腑などの三種類の名称が含まれます。

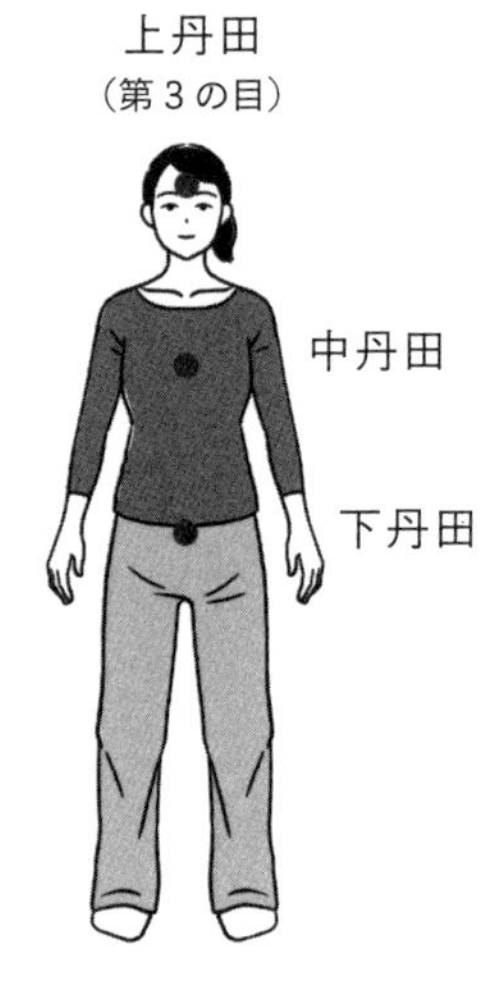

奇経八脈

八本の経脈からなります。奇とは一対になっていないことを意味し、奇経八脈には陰陽の対がありません。奇経八脈には、督脈、任脈、帯脈、衝脈（中脈）、陰蹻脈、陽蹻脈、陰維脈、陽維脈があります。

立ち方

気功における立ち方は、両足を肩幅に開き、足を平行にします。膝は少し緩めます。

上半身は力を抜き、下半身をしっかりします。天から、細い紐で頭のてっぺんが吊り下げられているようなイメージで、顎を引き、首から上、後頭部をまっすぐにします。腰は反らないようにします。

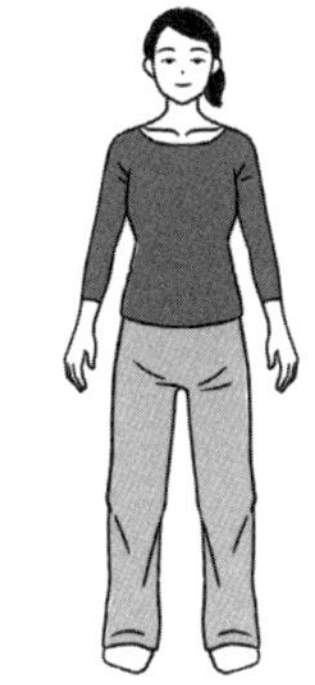

意識

気功は、朦朧とした、眠ってはいないけれど眠っているような、そういう意識で行います。甩手（さいしゅ）は四〇パーセントぐらい、動功（どうこう）では四〇～五〇パーセントぐらい、站桩功（たんとうこう）では五〇～六〇パーセントぐらい、自発動功（じはつどうこう）では七〇～八〇パーセントぐらい、静功（せいこう）（瞑想法）では九〇～九五パーセントぐらい、朦朧とした意識で行います。

半眼

気功を行う際は、目を半眼にします。仏像様は半眼です。気功も半眼で行うと効果がでます。

ただ、半眼でも疲れる方は目を閉じてもよいです。
また、すごく元気な方は目を開けて行ってもよいです。

主なツボ

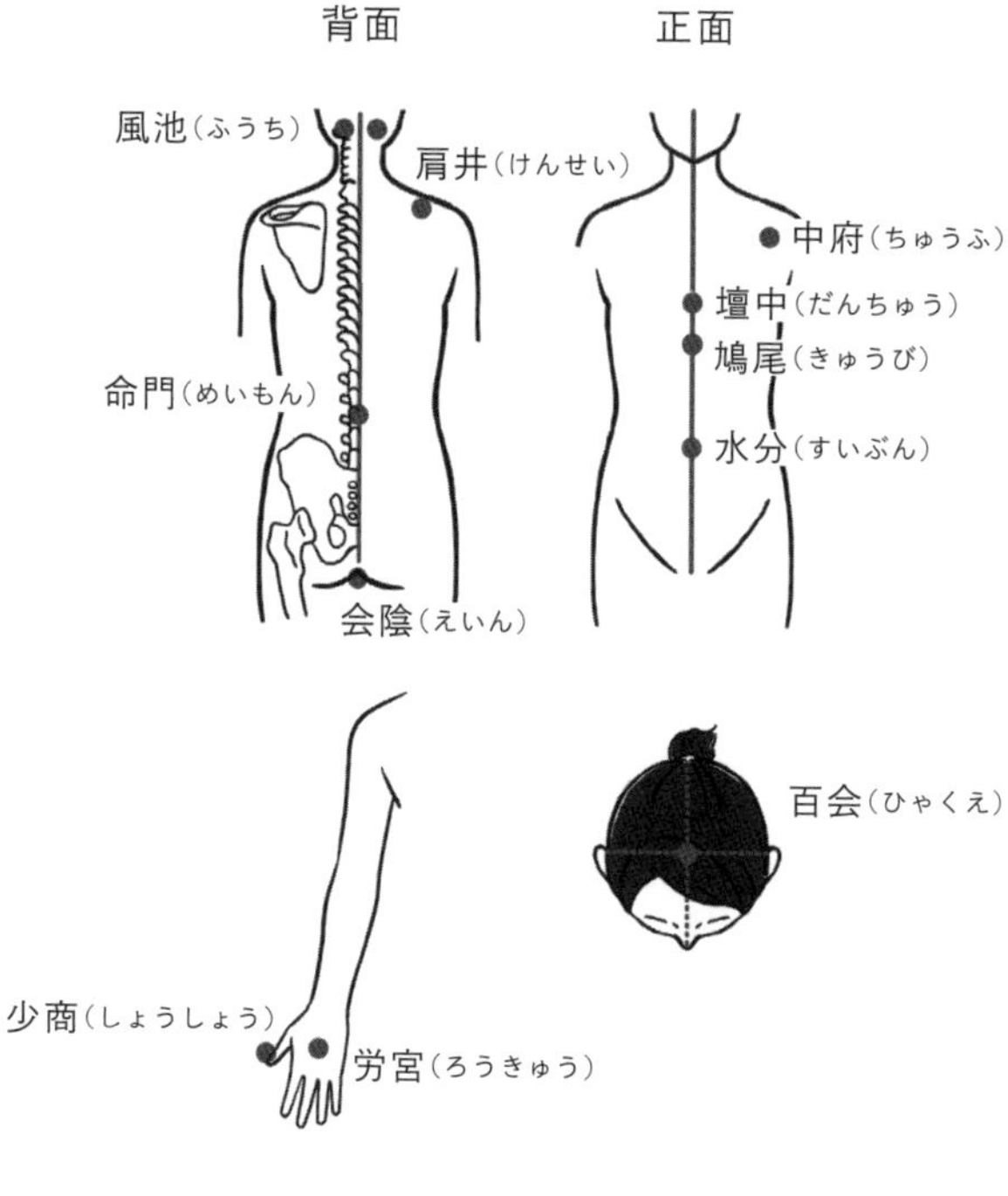

陰陽合一し、ゼロをつくる

合掌をして陰陽を合一（陰の気と陽の気を合わせてひとつにすること）し、ゼロをつくってから始めます。

女性は左手が陰、右手が陽です。男性は左右逆です。

合掌をして陰の気と陽の気を合わせて一つにすると、陰でもない、陽でもない、ゼロパワー、第三のパワーがでます。

気功の原理は「一＋一は二」ではなく、「一＋一はゼロ（ゼロパワー）」なのです。

陰陽を合一し、自分にゼロをつくると、自分の身体の中の気と、周りの宇宙エネルギーが合わさり、良い波動がきます。

・両手を横に広げ、手の平を上に向け、頭の上に上げていきます。
・頭の上で、陰の気と陽の気を両手の中に入れて合掌し、頭の上から上丹田、中丹田まで降ろします。陰陽を合一し、自分にゼロをつくります。
・中丹田に気が集まります。両手の手根（しゅこん）と膻中がつながってくるのを感じます。
・その後、各気功法などに入ります。

頭の上で、
陰の気と
陽の気を
両手の中に
入れて合掌し、
中丹田まで
降ろす。

両手の
手根と
膻中が
つながって
くるのを
感じる。

気功を終える時

収功をし、気を収める

気功の最後には必ず収功をし、密度の濃くなった気をしっかりと身体に収め、気を静めて終わりにします。

甩手、動功、自発動功、站桩功の収功

女性は左手の親指で右手の平の真ん中にある労宮のツボを押さえてから、親指のみ右手の下にしておへその下に両手を重ねる。（男性は逆）

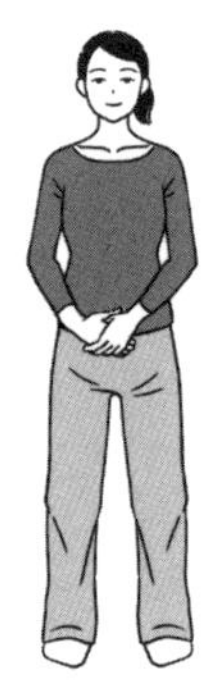

重ねたまま、女性は左回りに3回、右回りに3回（男性は右回りに3回、左回りに3回）回して、最後に上・下・真ん中と、ぐっとおへその下を押して気を収める。

静功（瞑想法）の収功

静功（瞑想法）の
最後に

軽く両手を
すり合わせる。

顔を洗うように、
両手で
マッサージをする。

ゆっくり目を開いて、
瞑想から現実の世界に戻る。

第一章

気功とは

気功とは

中国五千年の歴史の中で、気功は長い間「気」だけで表されていました。「功」の文字が付くようになったのは約七〇年位前からです。

なぜ「気功」なのでしょうか。

「気功」には「気」と「功」の二つの意味があります。

「気」とはエネルギーのことです。

「功」とは特別な能力のことです。

例えば、両手をお湯に浸した後、顔の近くに持ってくると温かいものを感じます。これは気を感じているということです。でもこれは気功とは関係ありません。

気功の「気」には、身体の内側に感じられる内気と、身体の外側に感じられる外気があります。特に大切なのは内気です。気功を行うことで、外気がわかってきて、内気がどんどん強くなってきます。内気は内臓が持っているエネルギーです。

内気が強くなってくると、「気」の質が変わり「功」、特別な能力が出てきます。

皆さんが言う気功という言葉には、「気」と「功」が混じっています。

気功とは「気」から「功」に成ることです。だから難しいのです。

この「功」を表す言葉があります。「成功」です。「成功」とは「功」に成るということです。気功でも、スポーツでも、仕事でも、何でもやり続けると、ある時突然「功」、特別な能力が出てきます。それが「功」に成った、「成功」ということです。


気功という世界は、最初は感覚の世界です。

気功の「功」のことを知りたい方は多いのですが、「気」の部分の修行が足りないと「功」に成れません。

まず、自分で自分の気を感じられるようになる。それが初級のレベルです。

中級のレベルになると、だんだん自分の身体の内気が強くなってきて、自分で自分の気をコントロールできるようになります。自分で自分の治療ができるようになります。

上級レベルになると、自分の気も他人の気もコントロールできるようになります。他人の気がコントロールできるということは、治療もできるようになるということです。また、遠くにいる他人の治療（遠隔治療）もできるようになります。

皆さんが気功に興味を持ち、特別な能力が欲しい、治療ができるようになりたいと思うことは悪いことではありませんが、実際にそういう特別な能力を得ることは簡単ではありません。正直な話、相当な時間がかかります。一日、三時間、五時間でも足りないでしょう。

ただ、人により才能の有無があったとしても、誰でも時間をかけると、自然に身体から不思議なものが出てきます。必ず内面の感覚が教えてくれます。

だから、もし皆さんが今、気功に興味を持っているのであれば、まずは初級から始めればよいではありませんか。そうして三年か五年ぐらいやって、自分の健康状態が安定してきたら、次に中級にいけばよいではありませんか。そして上級にいけばよいではありませんか。

一方で、それほどレベルアップしなくてもいいや、健康になれればそれだけでいいやというのでしたら、毎日、何時間も練習しなくてもいいですよ。

自分が何を目的とし、どういう時間をつくるかも大事ですよね。

気功の基本

気功の基本は、動作、呼吸、意識です。

この動作、呼吸、意識の三つを同時に行うことが気功の特長です。

人間は、いつもこの三つのことをしながら生きています。

しかし多くの方は、何かを考えながら、何か動作をし、無意識に呼吸をしています。気功では、この三つを気功の考えに沿って統一して行うので、高い効果を出すことができます。

スポーツでも太極拳でも、達人レベルの方は、この動作、呼吸、意識を統一することを考えています。しかし、気功では最初からこの三つを統一して行うため、効果が早く出るのです。

でもこういう話をすると、

「私、呼吸知っています。吸って、吐いてという、あの呼吸でしょう？」

「私、意識知っています。朦朧としてぼーっとする、そういう意識でしょう？」

と言う方がいます。しかし、それだけでは少し不十分です。

動作も、ただ綺麗にできるだけではちょっと足りません。

気功の呼吸法と普通の呼吸では効果が全く違います。

今、世の中で自律神経に関する本が売れていますね。

私の目から見ると、それらに書かれている内容は気功法です。

昔、中国で気功が生まれた頃は、自律神経、交感神経、副交感神経という言葉がありませんでした。でも現在の交感神経は気功でいう陽の世界の話、副交感神経は陰の世界の話です。

現代社会を生きる私達は、交感神経が興奮しやすくなっています。これは社会の問題かもしれませんが、イライラしやすく、のんびりすることが足りません。

一般的に、交感神経と副交感神経のバランスを変えることは難しいと言われていますが、気功は交感神経、副交感神経のバランスを変えることができます。

交感神経は吸う息と、副交感神経は吐く息と関係があります。

気功では、吸う息を一だとしたら、吐く息は二〜三と長くします。ゆっくりゆっくり吐くと、心臓もゆったりとします。そうして副交感神経を優位にすれば、交感神経が抑えられます。

心理学に心身医学という分野があります。

私自身、上海では西洋医学の精神科医をしていました。私の上海時代の病院の院長、粟宗華先生は、心身医学で有名なアドルフ・マイヤーさんのお弟子さんです。

その経験から考えると、気功は心身医学と同じです。心から身体を変える方法です。意識を入れながら呼吸をして、易しい動作をして、身体全体の健康状態を変える方法です。

気功の意識も普通の意識とは違います。

気功の意識は、陰の意識です。

具体的なもの、目に見えるものに対する意識は陽の意識です。陽の意識は、情熱、熱心、一生懸命考え、少し緊張感があります。一方、陰の意識は、目には見えないけれど、絶対に存在するもの、場とかエネルギーなどに対する意識です。

陰の意識は自然に任せます。

「意識で考えている？」

「考えている」

「そんなに考えているの？」

「考えていない」

そういうリラックスした意識です。そんなぼーっとした、朦朧とした陰の意識で気功を行います。

五つの入り口

中国には三千種類の気功法の流派があると言われています。

でも、三千種類もあると、どの気功法から学べばよいかわからなくなりますよね。

気功を始めるにあたって、どこから気功の世界に入っていくのか、どういう気功法から学んでいくのかはとても大切です。なぜなら、気功には効果が出やすい方法もあれば、効果の出にくい方法もあるからです。実際、気功の基本がわかっていない初心者の方が、上級者の気功法を行っても効果が出ないのです。

昔、気功は、先生が生徒に一対一で教えるものでした。

どういうものを学べばよいのか、どういう道に入っていったらよいのか、個人個人の状況をみて教えたのです。

気功の入り口はとても大切です。

最初の著書『気功革命』を書く時もいろいろ考えました。

私は中国にいた頃、幸運にも何千年も続く様々な気功の流派の先生に、直接お会いして勉強する機会に恵まれました。その自分の修行の経験と世の中の気功法をまとめてみたところ、気功を勉強するならば、動きのある気功法、甩手（さいしゅ）、動功（どうこう）、自発動功（じはつどうこう）、そして動きのない気功法、站桩功（たんとうこう）、静功（せいこう）（瞑想法）の五つの種類、私の言葉で言うと「五つの入り口」から練習した方がよいと思いました。

動きのある甩手、動功、自発動功だけだったら、静かになる道、站桩功、静功（瞑想法）の練習が足りません。一方、動きのない気功法だけだったら、身体の筋肉の動きなどの練習が足りません。

なので気功を勉強する方は、五種類の気功法を全て行った方がよいと思います。

これらの五つの入り口に順番はありませんし、五種類の気功法を万遍なく行う必要もありません。動功の練習量が多いとか、站桩功が多いとか、自発動功が多いとか、いろいろあってよいと思います。

ただ、この五種類の気功法を行えば、気功の道に入りやすいのです。


この本では、この五つの入り口の中から、初めての方にもおすすめの大切な良い気功法を厳選してお教えします。

そして五つの入り口に加え、樹林気功、気功診断、気功治療、民間気功もお伝えします。それらの根本の部分、奥義もしっかり解説します。

ぜひ皆さんもこの本で紹介する気功法を自分で試し、自分で効果を実感し、自分のものとしてください。もし自分のものとすることができれば、それは皆さんにとって一生の宝となることでしょう。

第二章

気功の五つの入り口

一つ目の入り口　甩手

まず五つの入り口の一つ、甩手からお話ししましょう。

甩手は武術気功からきています。甩手の甩は中国語で鞭という意味です。ぱつん、ぱつん、と鞭を打つ。これが甩手のイメージです。

甩手を単なる手の運動、筋肉の運動と捉えると疲れます。ただ両手の筋肉を動かすだけでは気功ではありません。それは体操です。体操が悪いものではありませんが、気功ではありません。

甩手で大切なのは意識です。

例えば、両手を前後にふらー、ふらーと振る甩手一（後述）の目的は、肩のところの筋を伸ばし、柔らかくすることです。両手を前後に振る時、手は肩からぶら下がっている紐で、紐の先、手の部分に重い鉄のボールがぶら下がっているというイメージを持ちながら、筋肉ではなく、筋と靭帯を伸ばす意識で振ります。そうすると鉄のボールの重さで身体の筋、血管、筋肉がどんどん伸びていきます。身体が熱くなり毛細血管が開いてきます。

毛手をしている時、

「なんでそういう動きをするの？」

「手の角度はどうなの？」

「周りの人は両足の幅が広いけど、私は狭くても大丈夫なの？」

など周りを気にする方もいますが、基本はぼーっとして、何も考えないでリラックスして行うことです。五人、一〇人で集まっておしゃべりしながら毛手をしてもよいですよ。リラックスして毛手をするとよいです。


毛手の意識は他の気功法ほど厳しくありません。

しかし、もちろん厳しい毛手もあります。特に少林拳や何拳など武術系の毛手は、修行のための毛手ですから厳しいですね。

では、なぜそういう武術系の修行で毛手をするのでしょう。

それは単純な動作を繰り返し続けると、身体の動きが条件反射のようになるからです。

武術の「武」は外見の部分です。「術」は真髄の部分です。

武術の良いところ、套路の中の真髄の部分を繰り返し練習すれば、武術系の毛手になります。

いくら練習を積み重ねても「術」の部分、真髄の部分がわからないと、ただの「武」、見た目のかっこよさ、美しさだけのものになってしまいます。

武術系の毛手は「術」を自分で悟るものです。

何でこういうことをするのか自分ではわからなくても、単純な動作を繰り返し行い続けていると、脳が「そうか、こういうことね」と諦め、「ならばもうやりましょう」という感じになるのです。


毛手と人間の関係は、行えば行うほど面白いです。でも最後は無視します。もういいやって。そうすると身体の中から良いことが出てきます。無意識、潜在意識、深い条件反射が出てきます。そういう毛手があるのです。それが、これから紹介する三種類です。

私自身いろいろな毛手をやってきて、この三種類の毛手は、何百種類ある毛手を代表するものではないかと思っています。

甩手一

甩手一は瀉法です。邪気を出す気功法です。
両手を振り子のように前後にふらー、ふらーと
振る動作を繰り返し、
身体の中の邪気、ストレスを全部指先から出します。

動作

- 上半身は力を抜き、両手を振り子のように前後に振ります。この時、両手は手の力ではなく腰の力で振ります。
- 吐く息に合わせ、指先から前の方に邪気を出します。
- 手を振るスピードは一分間に五〇〜六〇回程度です。ただ若い方はもう少し速く、年配の方はもう少しゆっくりなど、年齢や体調に合わせて振ってください。

呼吸

- 鼻で自然呼吸をします。
- 手を前に出す時、息を吐きます。この時、お腹をやや膨らませます。お腹を膨らませると気が集まりやすいからです。息を吸う時は意識しません。

意識

- 息を吐く時、指先から身体の中のいらないもの、邪気が遠くに出ていくイメージを持ちます。
- 邪気を出す先は、一メートルとか五メートルとか先ではなく、もっともっと遠く、地球から離れて宇宙まで出ていくイメージです。
- 遠くに出ていくイメージを持つほど、邪気をよく出すことができます。

甩手一は、両手を前後に振る動作を繰り返し行うことで、身体の中に詰まっている余計なもの、邪気を出して、身体の内側の気の流れをよくする気功法です。

気、エネルギーが足りない場合、まず先によくないもの、弱っているものを身体から出さないといけません。コップに水が満杯になっていたら、それ以上、水が入らないのと同じです。最初に古い水を捨てることで、新しい水が入るのです。これは中医学の考え方と同じです。

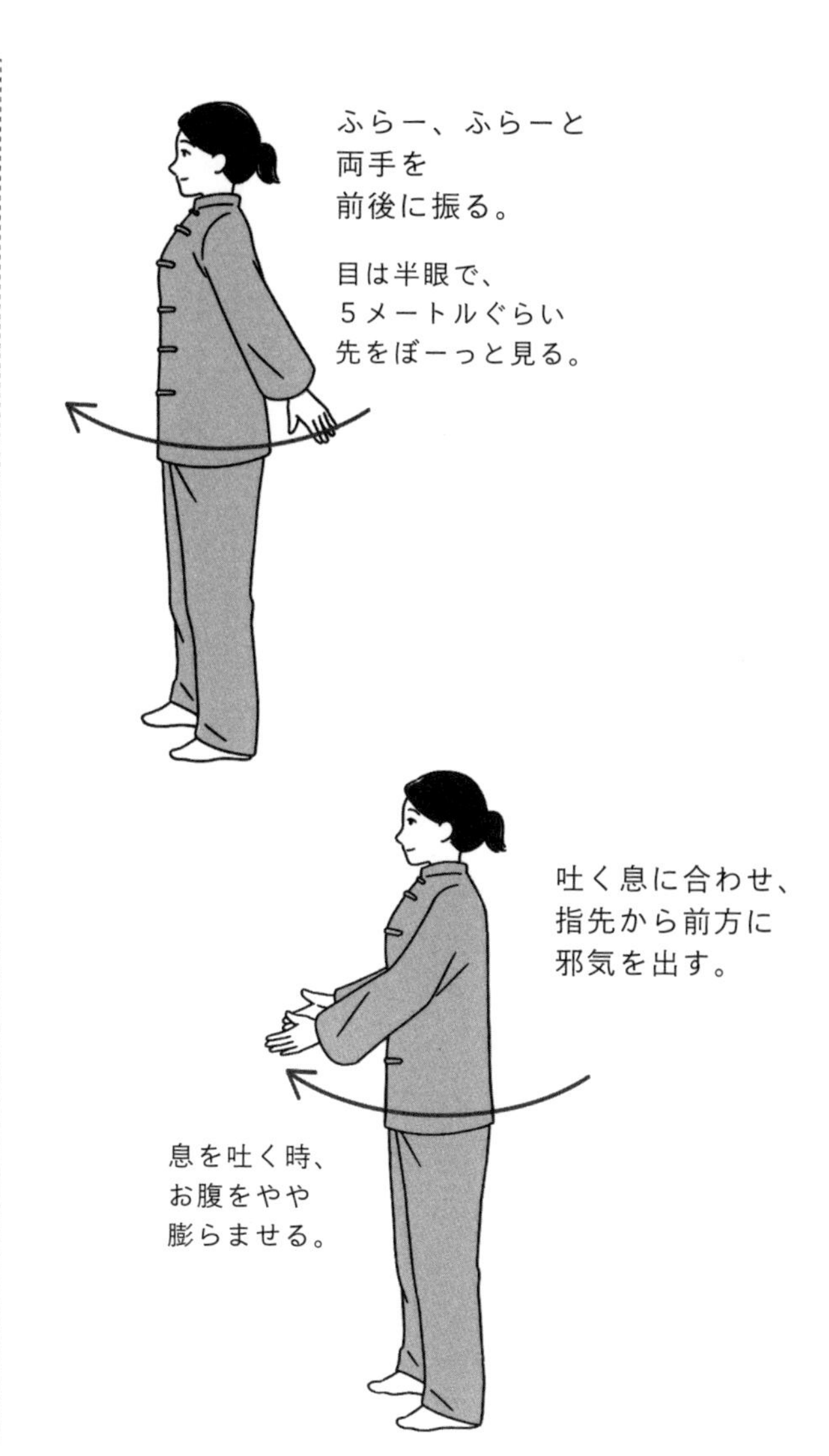

甩手 二

甩手二は補法です。気をもらう気功法です。両手を前から後ろに振る動作を繰り返し、良い気を身体に入れます。全身を活性化し、特に背骨の気の流れをよくします。

動作

- 上半身は力を抜き、両手を前から後ろに振ります。
- 吸う息に合わせ、両手を前から後ろに振り、首を後ろに反らし、踵を上げ爪先立ちになりながら、背中の両肩甲骨の間あたりに良い気を入れます。

呼吸

- 鼻で自然呼吸をします。
- 手を後ろに振る時、息を吸います。この時、お腹をやや膨らませます。お腹を膨らませると気が集まりやすいからです。息を吐く時は意識しません。

意識

- 息を吸う時、手の平から良い気が出て、背中の両肩甲骨の間に入れるようなイメージを持ちます。

両手を
前から後ろに
振る。

目は半眼で、
５メートルぐらい
先をぼーっと見る。

息を吸う時、
お腹をやや
膨らませる。

吸う息に合わせ、
両手を前から
後ろに振り、
首を後ろに反らし、
踵を上げ爪先立ちに
なりながら、
背中の両肩甲骨の
間あたりに
良い気を入れる。

甩手 三

甩手三は補法でもない、
瀉法でもない「平補平瀉」です。
背骨を軸に、両手を左へ回す時、邪気が出ていきます。
右へ回す時、良い気が入ってきます。

動作

- 上半身は力を抜き、背骨を軸に両手をデンデン太鼓のようにさーっ、さーっと左右に回します。この時、両手は手の力ではなく、腰が回転する力で回します。
- 左右に回す時、顔は正面を向いたまま、また背中の中心軸は動かしません。

呼吸

- 鼻で自然呼吸をします。
- 左に回す時は、息を吐き、邪気を出します。
- 右に回す時は、息を吸い、良い気を入れます。
- 息を吸う時も吐く時も、お腹をやや膨らませた状態で行います。お腹を膨らませると気が集まりやすいからです。

意識

- 腰の力で回していると、腰と手がつながり、腰から手が動く感じが出てきます。こうしていると、長時間行っていても疲れません。

肩の力、
腕の力を抜き、
背骨を軸に
デンデン太鼓の
ように左右に回す。

目は半眼で、
5メートルぐらい
先をぼーっと見る。

左に回す時は
息を吐き、
邪気を出す。
右に回す時は、息を
吸い、
良い気を入れる。

息を吸う時も
吐く時も、
お腹をやや
膨らませる。

私は甩手の左右の回転と地球の自転は関係あるのではないかと思っています。地球の自転は左回りです。甩手の右回しは自転と逆ですから入ってくる気の量が多くなり、逆に左回しは地球の自転と同じ方向なので一緒に邪気が出ていくのではないでしょうか。
チベットのマニ車も右に回します。左に回すことはありません。これはチベットの何千年の歴史の智慧だと思います。

二つ目の入り口　動功

二つ目の入り口は動功です。

動功は気功法の中でも最も種類が多いですね。今回お伝えする動功だけでも、五行功、太陽と月の気功、大乗金剛気功、香り気功、そして鶴気功の五種類あります。これから気功を学びたい方でしたら、まずは五行功だけでもよいと思います。または鶴気功だけでもよいでしょう。ただ五行功の動作、呼吸、意識はそれほど難しくありませんが、鶴気功は少し難しいですね。

動功の動作は、ただ動くこととは違います。ただの動作だったら、あっ、五行だ、あっ、大乗金剛だ、あっ、鶴だと、五種類の動作があるだけです。しかし、その動作がとても綺麗にできるようになっても何にもなりません。

約三千種類の気功法があっても、気功の原理原則は同じです。

気功では必ず、動作、呼吸、意識、この三つを同時に行います。

この三つを同時に行いながら、全身に張り巡らされた気の通り道である経絡に気を流します。

鍼灸治療などでは、経絡上の気の出入り口であるツボに直接刺激を与えて気の流れをよくしますが、気功は道具を使わず、呼吸と意識と簡単な動作で気の流れをよくします。

呼吸で摩擦をつくる

呼吸法についてお話ししましょう。

気功を学ぶにあたって、呼吸法はとても大切です。

まず、長くゆっくり息を吐きます。

初心者の方は、だいたい鼻で吸って鼻から吐いていますが、中級以上になったら、吸う時は鼻からで、吐く時は口からです。これは呼吸法の奥義（秘伝）です。息を吸う時、鼻から吸うことは誰でも知っていますし、誰でもできます。でも息を吐く時に、口から吐くことは少し難しいです。

よくフー、フー、フーと吐くのではないかなと思っている方がいますが、フーではありません。スーです。ただ、気功をする時は声を出さない方がよいので、もし声を出すとするとスーということです。口はしっかり締めないで、歯と歯の間に隙間をつくり、その隙間からゆっくり息を吐きながら、空気と気管、肺、肺胞との摩擦をつくります。

では、なぜ摩擦をつくる必要があるのでしょうか？

摩擦があると、身体の、特に気管支の中に存在感が出てくるからです。そして気管支の中に存在感が出てくると、身体の中の経絡の感覚が敏感になるからです。

逆に摩擦をつくらず、簡単に吸って、吐いてと空気を出し入れするだけだと、身体の感覚が敏感にならず、経絡の感覚がどういうものなのかがわかりづらいのです。

この呼吸に意識を入れると、本当の気功法になります。

例えば、息を吸う時、意識は必ず手の労宮（ツボ）にあります。労宮から息を吸って、胸の中府（ツボ）まで。息を吐いて背中の肩井（ツボ）のところから手の労宮まで。動作と呼吸に合わせて、そういう意識を持ちながら身体のすみずみまで気を流します。そうすると、身体を流れている経絡と気の道の関係、気の感覚がわかってきます。

順腹式呼吸と逆腹式呼吸

気功の呼吸と普通の呼吸では、効果が全く違います。

私達は普段、肺呼吸をしています。喉まで、気管支まで、あるいは肺の三分の一までの浅い呼吸です。しかし気功はもっと深い腹式呼吸です。

しかし、この腹式呼吸の話をすると、

「それは順腹式呼吸ですか？　逆腹式呼吸ですか？」

と混乱する方がかなりいます。でも順腹式呼吸も逆腹式呼吸も、本質的な意味は同じです。

順腹式呼吸では、息を吐きながらお腹を凹ませて小さくし、吸いながらお腹を膨らませて大きくします。

息を吐きながらお腹を小さくすると、お腹が小さいから気は背中を昇るしかありません。お腹を小さくすると腹圧が高くなるでしょう。だから気が昇っていくのです。そして、息を吸いながらお腹を大きくすると、今度は腹圧が下がりますから、気は降りるしかないのです。

逆腹式呼吸も同じです。

逆腹式呼吸では、息を吸いながらお腹を凹ませて小さくし、吐きながらお腹を膨らませて大きくします。息を吸いながらお腹を小さくすると、気は背中を昇るしかありません。息を吐きながらお腹を大きくすると、気は降りるしかないのです。

つまり順腹式呼吸でも逆腹式呼吸でも、大切なのは、

「お腹が小さい時は気が昇る」

「お腹が大きい時は気が降りる」

ということです。

全てお腹の形によって決まるのです。

お腹が大きいのに気が昇ることはありません。また呼吸（吸う息か吐く息か）とは関係ありません。なぜなら、吸いながらお腹を凹ますことも、吐きながらお腹を凹ますこともできるからです。

こういうことをただ名前で覚えると、逆腹式呼吸？　順腹式呼吸？　と混乱してしまいます。でも順とか逆とかに執着しないで、お腹の形で判断すればよいのです。そして、ただ気が昇っているか降りているかを意識してください。そうすると、逆腹式呼吸?とか、順腹式呼吸?とか、頭の中で混乱することにはならないでしょう。

では、なぜ順腹式呼吸と逆腹式呼吸が必要なのでしょう。

逆腹式呼吸の方が激しいのです。

息を吐きながら、ぎゅーっと力を入れてお腹を膨らませたところに気を降ろしてくるので、圧力が高くなるのです。そのため、武術系の呼吸法のほとんどは逆腹式呼吸です。健康な方、もっと一生懸命気功を学びたい方には逆腹式呼吸をおすすめします。

一方、お年寄りや病気の治療中の方は、ゆっくりゆっくり、自然に身体を任せる順腹式呼吸の方がおすすめです。血圧が高い方、心臓が弱い方も順腹式呼吸がおすすめです。皆さんも自分の健康状態に照らし合わせて行ってください。

また、順腹式呼吸の方がよいか逆腹式呼吸の方がよいかは、気功の流派、動作によって違います。

例えば、鶴気功は、息を吐きながらお腹を小さくして、上半身をぐーっと前に倒していきます。そうしてお腹を小さくすると、気は背中を昇るしかありません。そして身体を起こしながら気を上に昇らせ、お腹まで気を降ろします。その時はお腹を膨らますしかないですよね。つまり鶴気功は逆腹式呼吸です。このように逆腹式呼吸か順腹式呼吸かは、形、動きによって決まるのです。

最初のうちはお腹を無理やり動かしている感じがあるかもしれません。でも慣れてきたら、気功の動作が五〇あっても一〇〇あっても、この動作だったら、絶対にお腹を大きくするから、気は絶対に降ろすなど、順腹式呼吸、逆腹式呼吸が自然になります。

腹式呼吸の目的は、順腹式呼吸でも逆腹式呼吸でも、ポンプのようにお腹を大きくしたり小さくしたりして、横隔膜を上下させることで気の流れをつくりだすことです。お腹のポンプで身体の経絡に圧力をかけて、まるで川のように全身に気を流します。お腹が海、身体の足と手は川です。海が気を生み出し、手と足の川、経絡に流していきます。それが気功の動功の基本です。そういうことを説明したらなるほどね、と納得されると思います。

腹式呼吸法

気功の呼吸法は一一七種類あるといわれていますが、どれだけの種類の呼吸法があるとしても、大切なことはお腹で呼吸をするということです。

順腹式呼吸は、息を吐きながらお腹を凹ませ、吸いながらお腹を膨らませます。

逆腹式呼吸は、息を吸いながらお腹を凹ませ、吐きながらお腹を膨らませます。

順腹式呼吸法

- 息を吐きながら、上半身をゆっくりゆっくりゆっくり前に倒し、お腹を凹ませていきます。腹圧は高くなります。腹圧が高くなると気は上に昇っていくしかありません。下丹田から督脈を通って上丹田（第三の目）まで気が昇ります。
- 息を吸いながら、上半身をゆっくりゆっくり起こしていきます。お腹が膨らみます。膨らんだところに、上丹田（第三の目）から任脈を通って下丹田に気が降ります。

逆腹式呼吸法

- 逆腹式呼吸では上半身を動かさずそのままの姿勢で行います。
- 息を吸いながら、お腹を凹ませます。息を吸いながらお腹を凹ませると腹圧が高くなります。腹圧が高くなると気は上に昇っていくしかありません。下丹田から督脈を通って上丹田（第三の目）まで気が昇ります。
- 息を吐きながら、少しお腹に力を入れてお腹を膨らませ、お腹に気を入れる場所を作ります。上丹田（第三の目）から任脈を通って下丹田に気が降ります。

順腹式呼吸法

①息を吐きながら、
上半身をゆっくり
前に倒し、
お腹を凹ませる。
下丹田から
督脈を通って
上丹田（第3の目）
まで気を昇らせる。

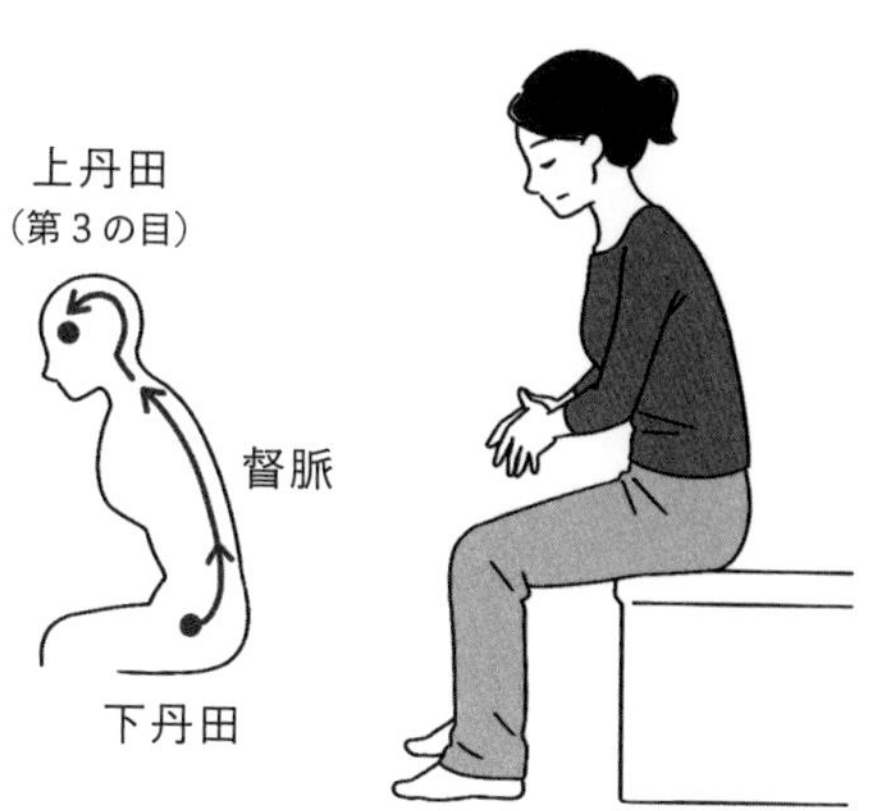

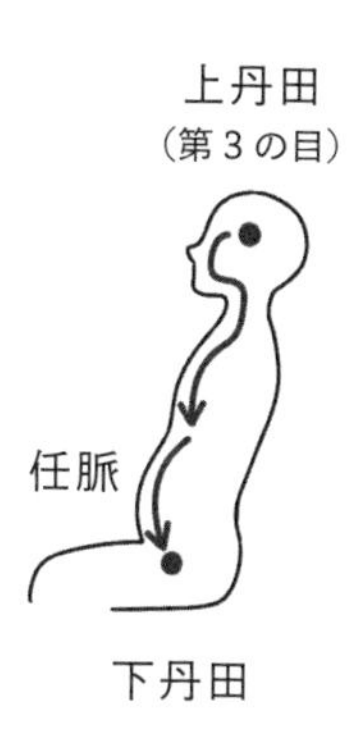

②息を吸いながら、
上半身を
ゆっくり起こす。
お腹が膨らんだ
ところに、
上丹田（第3の目）か
ら任脈を通って
下丹田に気を降ろす。

五行功

五行功は、万病に効果的で、全身に気の良い循環ができる中国の伝統的な気功法です。五行功は中医学の理論をベースにしており、五行とは木、火、土、金、水です。中医学では、身体の臓器、「五臓六腑」には、陰の臓器、陽の臓器があると考えており、五臓は「肝、心、脾、肺、腎」、六腑は「胆・小腸・胃・大腸・膀胱・三焦」です。

動作

①土、脾・胃

- 息を吐きながら両手を前に伸ばしていきます。
- 息を吸いながら、両手を横に開いていきます。この時、手の平は上向きです。
- 両手が横に開いたら、息を吐きながら手の平を下に向け地面の方に気を降ろします。再び手の平を上に向け、両手で地面の気を持ち上げていきます。

②金、肺・大腸

- 息を吸いながら両手を頭の上の方に上げていきます。手の平を上に向け、両手を高く頭の上に伸ばしていきます。

③火、心・小腸

- 手の平を自分の身体の方に向け、息を吐きながら、ゆっくりゆっくり、手と同じスピードで気を降ろします。頭のてっぺんから下丹田まで、両手で二本の道を浄化しながら降ろします。

④水、腎・膀胱

- 息を吸いながら、意識を親指の少商のツボに持ち、両手を腰の帯脈に沿って開き、気を後ろの腎臓に持っていきます。

⑤木、肝・胆

- 息を吐きながら、後ろの腎臓から前の肝臓に、両手で気を前に押し出します。

①から⑤を適度に繰り返し、最後に収功します。

呼吸

逆腹式呼吸です。
息を吸いながら、お腹を凹ませ気を昇らせます。
息を吐きながらお腹を膨らませ気を降ろします。

意識

最も大切なのは、②の両手を上に伸ばす時、両手を上の方、自分の身体から離れたもっと遠いところまで伸ばす意識を持つことです。

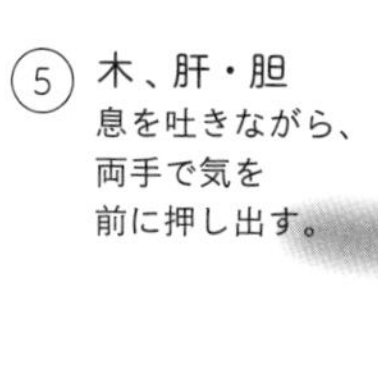

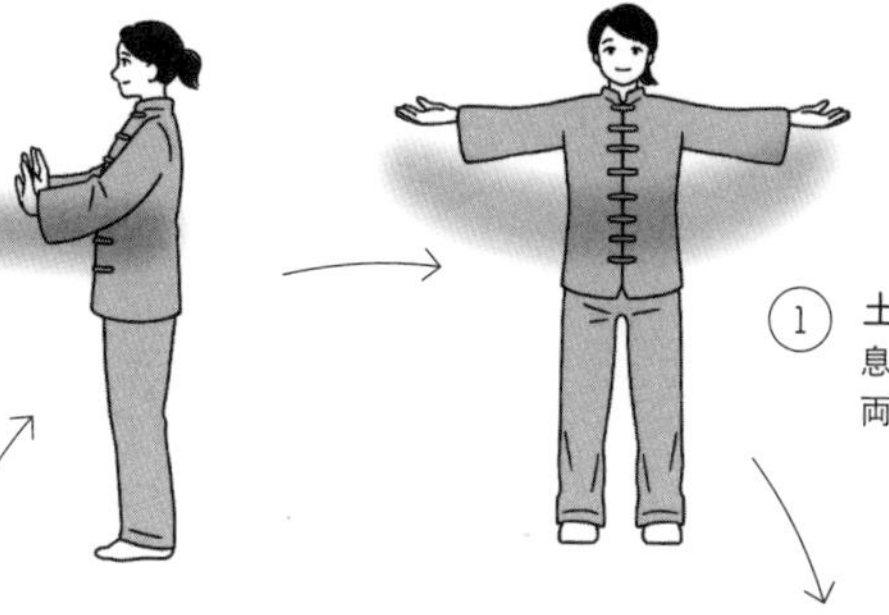

⑤ 木、肝・胆
息を吐きながら、
両手で気を
前に押し出す。

① 土、脾・胃
息を吸いながら
両手を横に開く。

② 金、肺・大腸
息を吸いながら、
両手を頭の上に
伸ばす。

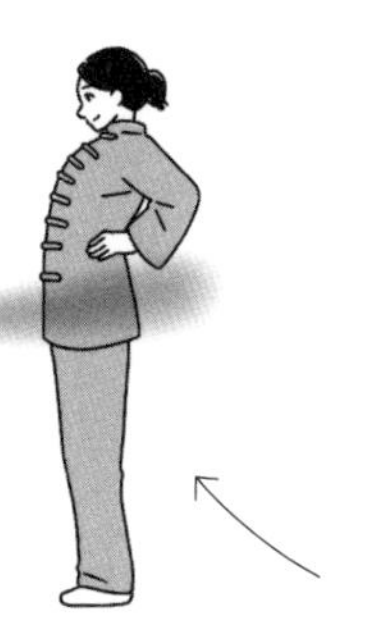

③ 火、心・小腸
息を吐きながら、
ゆっくりと
気を降ろす。

④ 水、腎・膀胱
息を吸いながら
両手を腰の帯脈に
沿って開き、
後ろの腎臓に
気を持っていく。

太陽と月の気功

太陽と月の気功は、
全身の気の流れをよくし、
陰陽のバランスを整えることにも
効果的な気功法です。

動作

①息を吐きながら、身体を前方に傾けます。足元に満月（陰）をイメージして、満月（陰）の気を両手でゆっくり持ち上げていきます。

②胸の中丹田のあたりから満月（陰）が太陽（陽）に変わります。満月が太陽に変わり、ぱぁーっと空に広がっていくイメージです。この時呼吸も、吐く呼吸から吸う呼吸に変わります。

③そのまま身体を後ろに反らせ、反らしきったところで息を吐きながら、手の平を内側に向け、太陽（陽）の気と満月（陰）の気をお腹の前で合わせます。

④息を吐きながら、お腹を膨らませて、二つを合わせた気を下丹田に入れます。下丹田から下半身、足裏を通して気を地面まで入れます。

①から④を適度に繰り返し、最後に収功します。

呼吸

逆腹式呼吸です。

意識

満月（陰）、太陽（陽）を具体的にイメージしながら行います。

② 胸の中丹田あたりから
満月（陰）が
太陽（陽）に変わる。
呼吸は
吐く呼吸から
吸う呼吸に変わる。

③ 息を吐きながら
太陽（陽）と
満月（陰）の気を
お腹の前で
合わせる。

大乗金剛功

私が教えている大乗金剛功は
上海の気功の伝人である
蘇根生（そこんせい）先生の大乗八宝（はっぽう）金剛功です。
全身に気を隈なく巡らせる効果の高い気功法です。

動作

①息を吸いながら両手を横に開いていきます。この時、手の平は上向きです。

②息を吸いながら両手を頭の上の方に上げていきます。
　頭の上で手を軽く握り、手の平側を上に向け、息を吸いながら両手で背骨を引っ張り上げます。背骨から気が昇っていきます。

③手を軽く握ったまま、手の平側を下に向け、ゆっくり息を吐きながら、背骨を龍のようにくねくね動かし、上から下へ、手の動きに合わせて気を地面の近くまで降ろします。

④右手、左手にそれぞれ気のボールを一つずつ持ち、息を吸いながら、足元から腰まで、両足の外側に沿って気のボールを持ち上げていきます。

⑤持ち上げてきた二つの気のボールは意識の上で残したまま、息を吸いながら両手を開きます。

⑥身体の前にもう一つ気のボールを作り、⑤の意識で残しておいた二つの気のボールと合わせます。

⑦息を吐きながら、お腹を膨らませて、三つの気のボールを下丹田に入れます。下丹田から下半身、足裏を通して気を地面まで降ろします。

①から⑦を適度に繰り返し、最後に収功します。

呼吸

逆腹式呼吸です。

意識

最も大切なのは、②の時、両手を、自分の身体から離れたもっと遠いところまで伸ばす意識を持つことです。

---

① 息を
吸いながら、
両手を
開く。

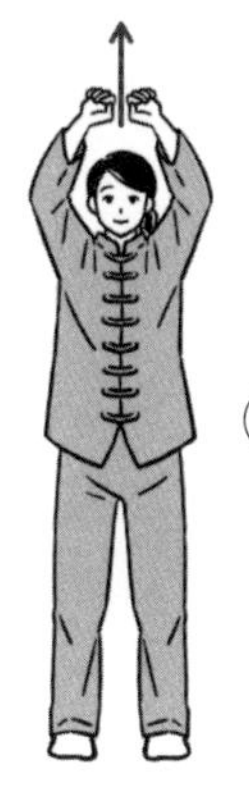

② 手を軽く握り、
手の平側を
上に向ける。
息を吸いながら、
両手で背骨を
引っ張り上げる。

③ 手を軽く握ったまま、
手の平側を下に向け、
ゆっくり息を吐きながら、
背骨を龍のように
くねくね動かし、
上から下へ、
手の動きに合わせて
気を降ろす。

香り気功

香り気功はとてもレベルの高い密教の気功法です。

中国からチベットに行った御坊様、パドマ・サンババヴァがチベットに行った時、チベットで伝えたといわれています。彼は国王の息子、王子様です。出家して宗教の道に入りました。その後、弟子へ直伝され、現代の香り気功の創始者である田瑞生（でんずいせい）先生に受け継がれました。

香り気功には、初級、中級、上級があります。現在、香り気功を教えているのは、彼の娘さんです。初級と中級を教えています。

上級は先生と一対一で学びます。田先生は、

「上級の香り気功については、もし写真などがあっても真似しないでください、自分で勝手に真似してやらないでください」

と言っていました。私は彼のその言葉を信じています。そういう達人の言っていることには意味があります。そういう方の言うことを信じなければ、罰や変な偏差（副作用）や身体の遺伝子がおかしくなるなど、因果応報があると思っています。

ある面、気功は相当大変なものなのです。良い方だったら一〇〇点、間違って変な方向にいくとマイナス一〇〇点の可能性があります。

香り気功の初級

初級は健康のためです。運動量も自分でコントロールでき、お年寄りでも易しくできます。

香り気功の動作は簡単ですし、最近はインターネットや本でも簡単に知ることができます。でも世の中に出ている説明と、私が教室で教えている説明ではやや違います。

特に香り気功の初級は、人の命が生まれる順番と関係があります。

精子と卵子が受精し、細胞分裂が始まり、最初二つに分裂し、四、八、一六、三二、……。受精卵が分裂して、中和して、細胞が増えて、また分裂して……。そうして分裂しながら変化していく流れと、香り気功の動作には関係があります。

香り気功の中級

中級は第三の目、特別な能力を開発します。

中級は少しレベルが高い気功法です。レベルが高くなるということは、私の体験からいうと、気の密度が違ってくるということです。

初級の場合は、身体がぼやーんとして、身体の中が温まってサウナに入ったみたいな感じですが、中級はサウナのような温かな感じではなくやや冷えています。そして気と引力との関係が強くなった感じです。

初級の場合も、皆さん、気を感じています。でも、それは気の分子が大きいから感じやすいのです。お酒でいうとビールの感じです。ぼーっと温かくなって、顔も真っ赤になり良い気持ちになります。香り気功の初級もそれと同じです。身体の気を温めて、全体的に良い循環、良い流れをつくります。毛細血管の循環がよくなります。

一方、中級は、白酒、汾酒、茅台酒などアルコール度数が五〇度、六〇度ある強いお酒の感じです。それは温かくなる感じではありません。気の分子が小さくなり、エネルギーが冷めた感じがし、引力のようなものが熱くなります。

中級は循環がよくなるよりも上のレベルです。気というより、何かそういう力をねじって強くした、引力とかそういうものとの関係の感じです。

やり続けると、初級と中級は違うということがわかってきます。

私も香り気功をすると感じます。すぐに熱くなります。内面のエネルギーの状態が変わってきます。私はそれを信じています。そういうことを信じてやっています。

皆さんも香り気功を信じて、初級、中級をやっていくと、体質とか、身体の気の密度とかが変わってきます。気の分子、粒子がどんどん細かくなり、密度が高くなってきます。

香り気功の初級、中級は絶対に良いものです。

香り気功

香り気功はとてもレベルの高い密教の気功法です。
初級は上半身、手の動きが中心です。心身を健康にする効果があります。
中級は上半身、手の動きに下半身の動きが加わります。
特別な能力を開発します。香り気功の初級と中級から一つずつ紹介します。

初級（耀眼佛光（ようがんぶっこう））

目に気を入れる気功法です。疲れ目などに効果があります。

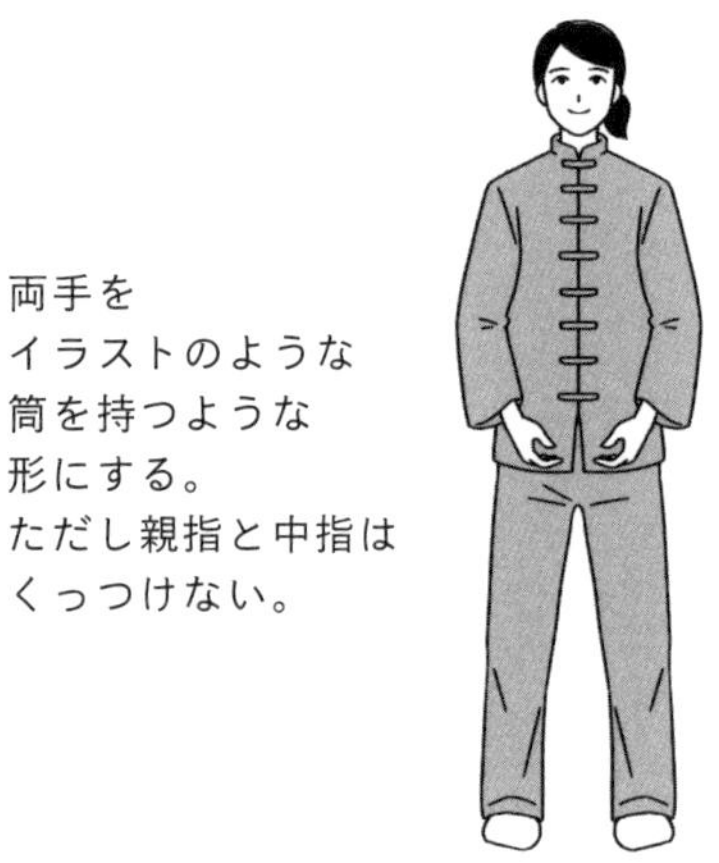

両手を
イラストのような
筒を持つような
形にする。
ただし親指と中指は
くっつけない。

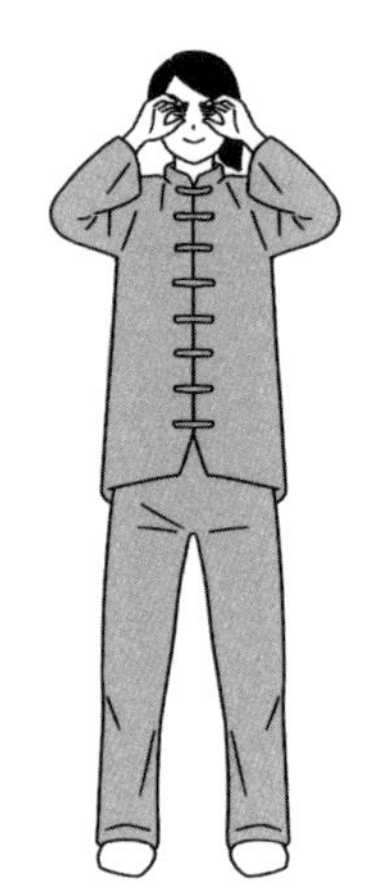

両手を下から上に、
目から気を
入れるような
イメージで、
目に気を入れる
動作を36回
繰り返す。

中級（老僧擺掌）

自分から出たエネルギーを自分に戻して全身を活性化させます。
腹から腰、子宮周りの気の流れをよくし、便秘、冷え性、婦人科系の病気に効果があります。

男性も女性も、
左手を下にして、
掌中央の労宮のツボを
重ねるように
両手を合わせ、
おへその位置に合わせる。
手と手、手とは
少しずつ離し、
間に気を感じながら行う。

手をおへその位置に
合わせたまま、
腰だけをリズミカルに
左右に36回振る。

鶴気功

鶴気功は、全身の経絡を全て開き、全身の気の流れをよくすることができる優れた気功法です。私は、上海八分間気功（八分鐘功法）の達人、司徒傑先生から直接教えていただきました。

鶴気功は、鶴が水を飲み、お腹に入れる動作を真似します。

この時、大切なことは、私達は水を飲むのではなく、気を飲むということです。

こういう感覚は、自分でやらないとわかりません。でも、やるとどんどん鶴が水を飲む感覚がわかってきます。そして動作に呼吸、意識を合わせて、気を飲み、お腹に気を入れる感覚がわかってきます。

鶴気功は、動作も呼吸も意識も難しいのですが、練習すれば必ず上手くなります。

鶴気功のように、あるとても良いものを繰り返して練習すると、他の流派とも、なんとなくつながってくる感じが出てきます。私は鶴気功を大切にしていますし、とても信じています。

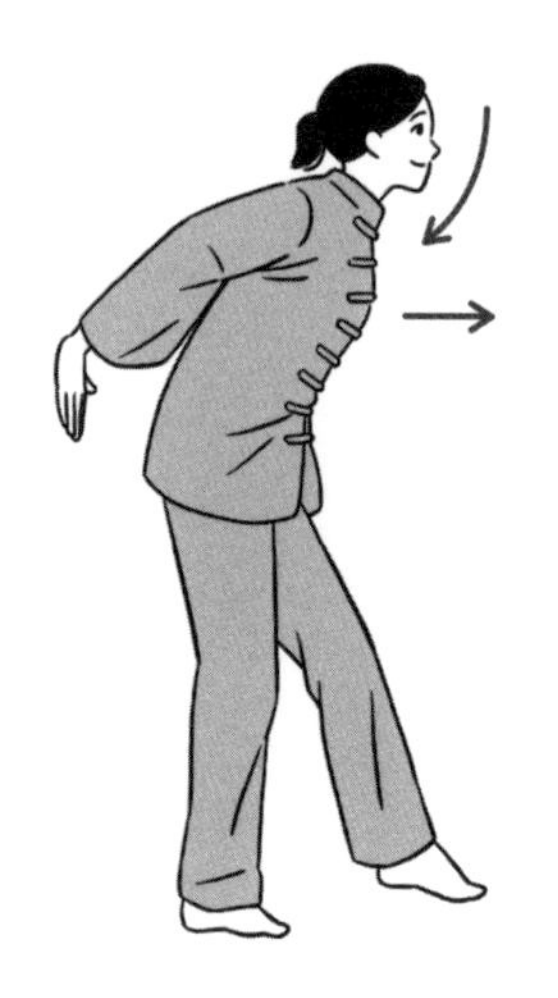

片足の爪先をつけ、
息を吸う時に顎を上げる。
意識は爪先に。
そこから身体を
前に倒しながら、
息を少しずつ吐く。

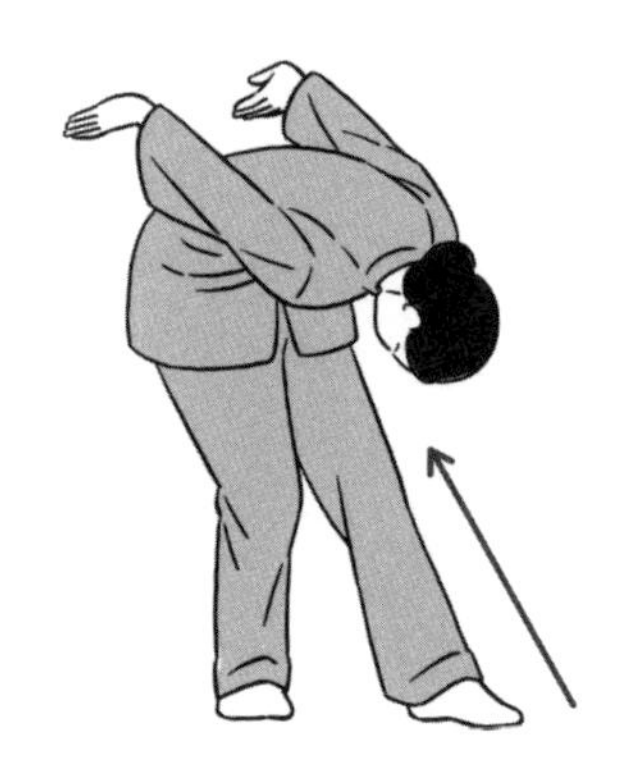

息を吐きつづけ
ながら、
爪先から下丹田、
更に壇中まで、
気を導く。

三つ目の入り口　自発動功

自発動功では自由に身体をふらふら、ふらふら、身体が自然に動くに任せます。
子供の頃、怒った時、パンパン飛んだりしましたよね。逆に楽しくて、ひとりでわーっと両手を広げてくるくる回っていたりしましたよね。これらも全て自発動功です。あくびも貧乏ゆすりも自発動功です。犬や猫など動物にも皆、自発動功があります。

自発動功には、ちょっと自分でつくっている感じのところ、嘘っぽいところがあります。
「私、別に動かなくてもいいけど、ちょっと動いてみようか」と動いてみる。最初はそういう嘘から始まり、次第に本当の自発動功の動作が出てくるのです。

気功を始めたばかりの方、まだ気功の動作を覚えていない方にとっては、自発動功は身体が動きたい動きにふらふらと任せるだけですので楽ですよ。

自発動功をすると、弱いところ、悪いところがまず出てきます。逆に言うと、肩が凝っている方、胃が病気の方、腸が病気の方、腰が悪い方などは、自発動功で弱いところを動かす動作が欲しいのです。あなたが自然に動くのに任せなければ、病気のところは「しょうがないな」となってなかなか治らないのですよ。だから「そうか、そういうところの動きが欲しいんだ」と身体から出ている情報、身体の動きたい動きに任せて、ふらふら、ふらふらと身体を緩ませ動いてみると、あなたの弱いところがよくなります。

私は、自発動功を現代的な視点でいうとプラズマ、等離子体現象と似ていると思っています。

自発動功をすると、身体の頭のてっぺんから足先まで、等離子体現象のように同じ分配状態になり、全体的に良い循環になります。右手から右足に流れるのではなく、プラズマのように右手から突然、左足に、左手から突然、右足につながることができるのです。この時、意識すれば、全体的に上手にふらふら、ふらふら、中和することができます。

自発動功は長ければ一時間、短ければ三〇分ぐらい、頭の中をぼーっとして何も考えないで行います。何も考えないで、というと難しいのですが、ぼーっとすると、第三の目の辺りにピンポン玉ぐらいの大きさの真っ白なボールが出てきます。もちろん初めは見えないですよ。でも意識して、真っ白のボールを見るようにします。そうすると身体が動きやすくなるのです。

どうして動きやすくなるのでしょう。
それは身体の執着が分散するからです。執着があると身体は動きません。なので、執着を分散させるため、別の執着をつくるのです。第三の目のところに別の執着をつくることで、身体の執着が減り、自然に動くようになるのです。

自発動功は公園や、海に近い所など気の良いところ、外でやった方がいいです。人が多いところや電車はおすすめしません。そういうところでやると、周りの変な邪気が身体の中に入ってくるからです。

ただ、自発動功のやりすぎはよくありません。特に初心者の方が、本を読んで「じゃ、やってみようか」とひとりで自発動功をすることはおすすめしません。脅すわけではありませんが、特に敏感な方は誰か見てくれる方がいないと、相当深い道に入ってしまってそういう世界から抜けられなくなってしまうからです。抜けられないと偏差になります。

肉体的な病気がある方、また健康な方でも、本当に自発動の道に入れば、意識、集中する範囲がものすごく狭くなります。それは執着です。そして執着が強すぎると、自分の視野、周りへの意識などが薄くなってしまいます。執着、意識が強すぎるとダメですね。

自発動功をする時、「私もちょっとできるんじゃないかな」というような自己暗示も必要です。嘘つきかもしれませんが、そういう自己暗示が少しはないと身体が動かないのです。理性的な方、理論的な方は、自発動の道にはやや入りにくいです。教室でもそういう方は動かないですね。毎回、ずーっと立っています。動いたとしても両手がちょっと動くだけです。もちろんそれが悪いことではありませんが。

一方、感情的な方、敏感な方は自発動の道に入りやすいです。すぐに身体が動き、バレエみたいな動きや、太極拳みたいな動きが出てきます。これは良いか悪いかではありません。

気功的にいうと、敏感な方、自発動功をやりやすい方は、站桩功、瞑想など「鈍感」の練習が必要です。一方、鈍感な方は「敏感」の練習、自発動功の練習が必要です。そうすると頭の中で感性と理性のバランスが取れるようになってきます。

自発動功をしていて光や幻想が見える方もいます。歌を歌う方もいます。そういうことはおかしいことではないです。実際に、二、三人で歌を歌う教室もあります。アフリカの原住民などは村の中で何十人とか集まって輪を作りながら、鉄の物をガガン、ガガンと叩きながら、歌いながら歩きます。そうすると鬼が出ていくという意識があるみたいです。でも私からみるとそれも自発動功ですね。

アメリカのサイコドラマ（心理舞台）も自発動功と似ています。サイコドラマは、私達の自発動功よりもっと積極的に先生が生徒に声をかけます。声をかけるということは、暗示、ヒーリングです。

泣きたい人は泣いてください。

社長のバカやろう、と言いたい人は言ってください。

死にたいとか、怒りたいとか、思っていることを言ってください。怒ってください。

今もサイコドラマをやっている方は相当いると思います。

物理学に自発動功の動きと似ている動きがあります。ブラウン運動です。水の上に小さな花粉を落とすと、下まで直線で落ちていかず、右に行ったり、左に行ったり、不規則な動きをしながら沈んでいきます。アインシュタインはこれを「花粉の現象」と言いました。

気功でも、特に深い瞑想状態になると、頭の上から身体の中に落ちていくものがあります。それは気かもしれません、意識の物質かもしれません。ただ、頭から下まで一直線に落ちていくわけではありません。あちらこちらに行きながら、なんとなく下丹田まで落ちていけるかなという感じです。下まで落ちるのに、相当な時間がかかります。

どうしてでしょう?

それは身体の中に邪魔なものが多いからです。そしてその落ちていき方は、個人によって、修行のレベルによって違います。

四つ目の入り口　站桩功

ここまで甩手、動功、自発動功と、動く気功法のお話をしてきました。これからは静かになる道、站桩功、静功に入ります。ここからが本番の道ですね。

気功をして最後の良い状態になるためには、静かになる道、站桩功と静功が必要です。甩手、動功、自発動功だけだと、ずーっと静かにして宇宙エネルギーとつながる、宇宙エネルギーと関係をつくることは相当難しいです。でも站桩功、静功はそういうことができます。深く静かな道に入ることができるのです。

站桩功の「站」は動かないこと、「桩」は根を下ろして立つことで、站桩は、じっと動かずに立っているという意味です。站桩功の基本は、上虚下実、上半身は力を抜き、下半身をしっかりとした状態で長時間立つことです。

長い時間、上虚下実の状態で立ち続けると、最終的には、頭のてっぺんから足裏まで一個の人間になります。一個の人間とは、頭の上、天のエネルギー、宇宙エネルギーが、全て足裏、地面にピタリと集まった状態になることです。それが站桩功です。

站桩功は「立つ禅（立禅）」、静功は「座る禅（座禅）」ともいい、禅のひとつのやり方です。人間と宇宙が一体になった世界、人間と宇宙とつながっている世界、それが禅の世界です。站桩功でも静功でも、宇宙のエネルギーと人間のエネルギーがつながると禅になります。禅になったら、最高のレベル、最高の状態ですね。

ただ自然の状態では禅になりません。修行しないと禅にはなりません。いろいろな宗教でも、人間と宇宙エネルギーの関係の修行の方法がありますが、私から見てやりやすい方法は気功ですね。

站桩功は立つ健康法

站桩功は立つ健康法です。

なぜ、立つと健康になるのでしょうか。

站桩功をすると、内臓の器官・臓器が元の良い状態に戻るからです。

普段、身体の器官、臓器などはぶら下がっています。

内臓の弱い方、心臓の弱い方、肝臓の弱い方などは、それぞれの臓器が本来の位置、長さに戻っていないのです。本当はもう少し右の位置なのに数センチずれているとか、そういう状態なのです。そのため循環が悪くなったり、内臓の収縮などの痛みが出てくるのです。

站桩功で長い時間立つと、内臓の筋肉がゆっくりゆっくり伸びて、自然に元の良い状態に戻ります。そういう身体の自発的な動きに任せる、助ける。それが站桩功です。

立つと健康になる。これは基本ですね。

なので、站桩功には胃腸を強くするためだったらこういう形、首を強くするためだったらこういう形、目を強くするためだったらこういう形といったいろいろな形があります。

站桩功の原理

では、ここで站桩功の原理についてお話ししましょう。

站桩功では、両足を肩幅に開き、平行にし、足の外側にやや力を入れて、東京タワーみたいなイメージで下半身を安定させて立ちます。

足の指は全て開きます。初めのうちは、足裏が少し浮いている感じがあるかもしれませんが、最後は地面にピッタリと付けます。足裏が吸盤みたいに地面に吸い付くイメージです。ある面、扁平足みたいな感じです。
どうしてそうするのかというと、足裏が地面に接する面積が大きければ大きいほどよいからです。

一般的に、站桩功の修行をしていない方の足裏と地面との関係は八割とか九割です。でも站桩功では一〇割ピッタリです。

站桩功は武術系の流派に多いです。

中国のカンフーで有名な方の站桩功はすごいですよ。五人、一〇人かかっても、立っているその方を動かすことができません。まるで鉄の棒が土の中に刺さっているように、地面に足裏がピッタリと付いていて、絶対に動かないのです。そういう方がパンと動くと、周りの人は皆、はね飛ばされてしまいます。

站桩功で、足裏を地面にピッタリと付けて、両足の外側にやや力を入れて立ち続けると、外側の筋肉が強く硬くなります。足の外側、静脈の方に少し圧力がかかるため、足裏から静脈を血液が上がり流れがよくなります。静脈は解剖生理学的にいうと竹みたいな構造をしているため、こうして筋肉の外側に圧力をかけると血液の流れがよくなるのです。站桩功をやればやるほど、静脈の血液は少しずつ上がっていきます。

一方、両足の内側の筋肉は柔らかくなります。柔らかくなると、両足の内側の緊張がなくなり、動脈を通って、心臓から足裏まで血液が下りていきます。

站桩功で長く立っていると、身体の中の汚いものは下に沈殿します。身体の六～七割は水分です。頭から首、首から胸、胸からお腹、太腿、膝、足裏まで、身体の汚いものが全て足裏まで沈んでいきます。そして足裏に沈殿した汚いものは、足裏から地面に落ちていきます。そうすると頭が軽くなり、しっかりしてきます。逆にいうと、そういう訓練をしないと足裏の汚いものが全身に入ってしまいます。それが頭の中に入ってしまうと一番危ないことです。

站桩功でずっと立っていると、汚いものが下に沈殿し、血が集まってきて、紫色になり足が腫れているように感じます。そういう紫色の足になると血の巡りが悪いのかなと思うかもしれませんが、違います。站桩功をしていて足が紫になる方は、すごく身体の血の巡りが良い方です。そしてそのままずっと一時間ぐらい立っていると、紫から黒っぽくなってきます。それは重力が出てきているということです。

日常の現象でも、例えば、輪ゴムを一年くらいそのままテーブルの上に置いておくと溶けてしまいます。

なぜ輪ゴムは溶けたのでしょうか。

もちろん物理的な原因はありますが、ひとつは輪ゴムがずっと動かなかったから、輪ゴムの中の重力、それは○・○○何グラムかもしれませんが、その重力とテーブルとの関係が出てきたからです。

人間も同じです。

人間も長く站桩功をすると、重力が出てきます。体重五〇キロ、六〇キロにかかる重力と地面との関係が出てきます。上半身の力を抜いてそのまま立ち続けると、コアマッスル（身体の深いところにある筋肉。特に腹腔を取り囲む筋肉）の周りに気が入ってきます。こういう状態になったら、周りから身体に気が入ってきます。これが站桩功の原理です。

立てば立つほど周りの気が集まってきます。集まってきた気は下丹田に入れます。でも最初からすぐに下丹田まで気を集めることはできませんから、長い時間立っている必要があります。

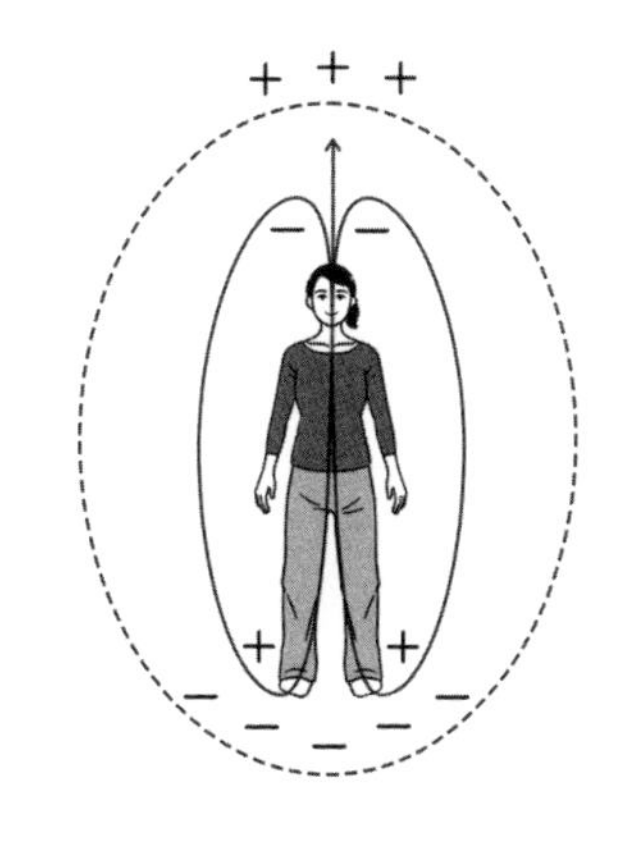

子供のお腹は膨らんでいますよね。病気ではないか、と心配される方もいるかもしれませんが、それは違います。

子供はお腹を重心にしているから元気なのです。子供は頭に全く気が集まっていきません。だから子供は自然治癒力、免疫力が高いのです。

でも大人になるにつれ、勉強とか、仕事とか、常に頭や目を使っているので、気が上に上がっています。そうするとお腹は小さくなり、頭に気が集まってくるのです。そして年を取ると頭に気が入っていってしまいます。

現代人は自然治癒力が弱くなってきています。気功は自然治癒力を高める方法です。もう一度、子供の状態に戻り、自然治癒力、免疫力を高めるための方法です。

最高の状態は反重力

站桩功を続けると、重力が出てきて強くなります。

でも、站桩功をしても重力を統一することをわかっていない方、また重力を統一したいけれどやり方がわからないという方がいます。

站桩功で一番大切なことは、力の訓練の方法です。

上半身はダラッと力を抜き、下半身は重くし、足裏に負担をかけて立ちます。頭のもの、身体のもの、全てを足裏まで降ろします。重力が出てきます。

站桩功をして、重力が出てきて、最高の状態は反重力が出てくることです。

長い時間立っていて、足裏に重力が集まってきたら、必ず反重力があります。例えば元が一〇〇点だったら、もう少し立ち続けると一〇五点になります。その五点分が足裏から上がり反重力になります。基本的に站桩功の反重力は下丹田に入れます。

しかし、こういう反重力の知識がなければ、反重力がそのまま身体を昇って顔が真っ赤になったりすると、自分は大丈夫かなと心配になったりします。それは指導者がいないからですね。

静功の反重力も同じです。

站桩功では足裏に重力が集まりますが、静功では会陰に重力が集まります。重力が集まってくると、どんどん反重力が出てきて、仙骨にいって、背骨を昇っていきます。ヨガでいうクンダリニー現象です。

それは高僧様とか、経験のある方が知っていることです。胸の真ん中に集まってくる、あるいは下丹田に集まってくる、あるいは頭の真ん中のところ、第三の目に集まってくる。

多くの禅宗では第三の目をイメージしながら座っています。イメージしないでただ長く座っていることを枯座といい、枯座はやればやるほどよくないこと、危ないことです。だから座禅でも指導者、経験のあるお坊さんが必要なのです。自己流はあまり良いことにはなりません。

站桩功でも、静功でも、こういう物質の重力を利用しています。重力が出てくると反重力が出てきて強くなります。そして重力が重い方が長生きします。

例えばゾウさんは長生きですよね。

ゾウさんはなぜ長生きなのでしょう？

ゾウさんは寝る時もほとんど立っています。お鼻をふらふら、ふらふらさせていて、寝る時、ちょっとゆっくりして、またふらふらします。ゾウさんの立ち方を見ていると、自然に反重力が出ています。


皆さんも健康で長生きをしたいのでしたら、反重力のことを大切にする必要があります。そのためには長く立ち続けなくてはいけません。

自分はやりたくない、面白くない。それでもいつもいつも、毎日、毎日、同じようにずーっと立っていると、ある日、身体の反応が出てくるのです。自分でもびっくりして、「この力は何？」と思うのですが、それが反重力です。ただ、この感覚は一時間、二時間ぐらいでは絶対にわかりません。毎日やり続けることが必要です。

私自身、自分の勉強を振り返ってみても、站桩功はすごく時間がかかります。

どのぐらい時間がかかるか、必要かは、個人の目的によって違います。

例えば、健康になりたいための站桩功だったらそれほど時間は必要ないでしょう。でも特別な能力が欲しいのでしたら時間がかかります。諦めないでやることです。

角度

站桩功には、立ち方や手の形など、流派によっていろいろありますが、私が普段、教室で基本として教えているのは三円式站桩功です。

三円式站桩功は、両手でお腹の前に大きな丸い気のボールを抱えるようにして立ちます。この時、お腹、背中、両股のところで三つの丸（円）をつくるところから三円式站桩功と言います。

三円式站桩功をする時、両手をもう少し前の方に出した方がよいのかなとか、両手間の距離をどうしたらよいのかなとか、迷う時があります。その時、両手と下丹田の角度を正三角形にすると正しい位置になります。

三円式站桩功以外にも、例えば両手を後ろに持っていって、手の平を命門（めいもん）に向けて立つ站桩功でも、両手と命門の角度は正三角です。また両手を上げて、手の平を第三の目の方に向けて立つ站桩功でも、両手と第三の目の角度は正三角形です。

站桩功の奥義（秘伝）は、この角度です。

この秘伝を知らないと、やってもやっても、時々気を感じる、でも時々気を感じないということになります。それは手の角度が正三角形でないからです。正三角形にすると気を感じます。気功において、角度はとても重要です。

ただ、この秘伝の知識は私が発明したものではありません。中国の昔の站桩功やカンフーの写真をいろいろ見て研究し、また達人に直接会って見て考えて悟ったものです。

気功の動作は易しいですし、誰にでもできますが、入門のルールは決まっています。

例えば、手の角度とか、足の曲げ方とか、首の形とか……。

気功にはルールがいろいろあり、最初は厳しくてうるさいですが、そういうものに慣れたらそういう形だけになります。そうすると後は楽になります。

気功は最初、厳しいルールを学ばなければいけません。そうでないと、最後の楽、自由がないからです。最初に厳しいことをやらないと、一〇年、二〇年練習しても、結局、全て時間の無駄になってしまいます。

私が持っている知識は私だけのものではなく、私の先生、その先生、また、その先生から受け継がれてきたものです。なので、私が一分間で教えていることを理解するのに、皆さんが自分の力だけでやると一〇年以上はかかります。だから最初は絶対に厳しい方がいいです。そして慣れて楽になると、いろいろと身体の不思議な能力が出てきます。

三円式站桩功

三円式站桩功は
站桩功の基本です。
気を溜め、充実させます。

動作

●三つの円を作ります。
（一円）両手でお腹の前に、大きな丸い気のボールを抱えるように立ちます。
（二円）股関節から両膝の間に、大きな丸い気のボールを抱えるように立ちます。
（三円）胸の前に、大きな丸い気のボールを抱えるように立ちます。
●両手と下丹田の角度は正三角形です。正三角形にならないと気の感覚は出ません。

呼吸

自然呼吸です。

意識

上半身は力を抜き、顎を引き、首から上、後頭部をまっすぐにし、横から見ると南京錠のようなイメージで立ちます。

一方、下半身は仙骨から紐が出てその先に鉄のボールがぶら下がっていて、地面まで引っ張り下げていくイメージで立ちます。

(一円)
両手でお腹の前に
大きな気のボールを
抱えるように立つ。

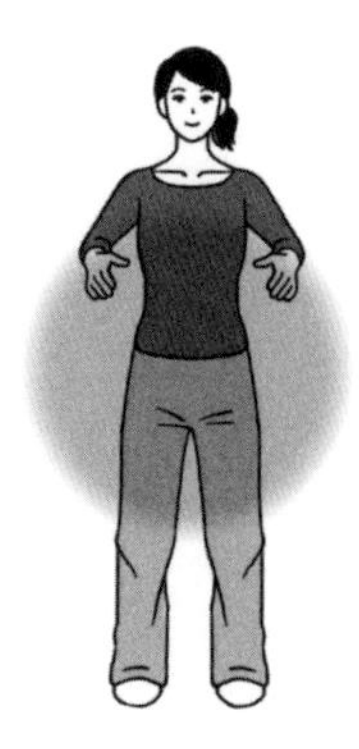

両手と下丹田の角度は
正三角形

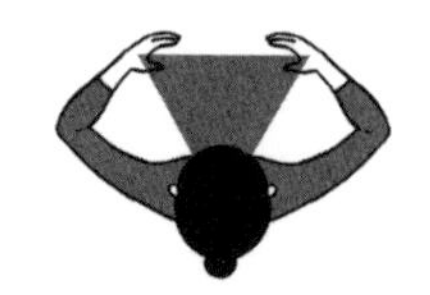

(二円)
股関節から両膝の間に、
大きな丸い気のボールを
抱えるように立つ。

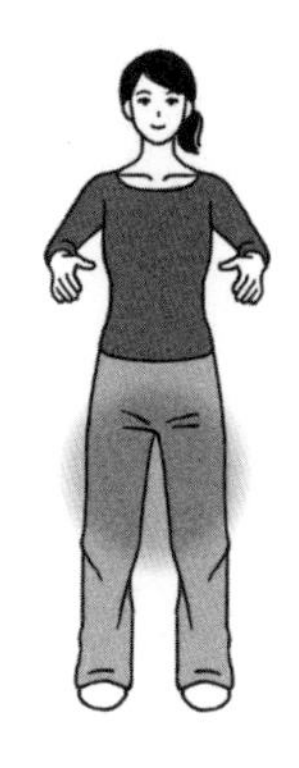

(三円)
胸の前に、
大きな丸い
気のボールを
抱えるように立つ。

膝は緩める。
腰が反らない
ように立つ。

顎を引き、
首から上、
後頭部を
まっすぐにする。
(横から見ると南京錠のような
なイメージ)

手印

站桩功の形、立ち方、手の形は流派によっていろいろあります。

站桩功について、軽く浅く話をすると、健康のためとか、身体の調子がよくなるとか、充実感が出てくるとか、そういう話になりますが、深く話をすると、様々な手印の話になります。

何年か前、阿修羅像が東京国立博物館に来た時、話題になりました。そしてご覧になった多くの方は、阿修羅像の美しさに感嘆されていました。確かに阿修羅像は芸術的な評価の高い仏像様ですが、気功的に見るとただの美しい仏像様ではありません。

阿修羅像の手の形はいろいろありますが、全て手印です。

私が思うに、阿修羅像が作られた時代は、今のように手印や動作を記録する動画撮影技術がありませんでしたから、「こうしたら修行になるよ」といくつかの手の動きを組み合わせた仏像を作り、その形と動き、順番を伝えようとしたのではないでしょうか。

日本のお寺には立っている仏像様がたくさんいらっしゃいます。中国のお寺には立っている仏像様はそれほどありませんので、私は日本のお寺で仏像様を見た時、これは気功教室だとびっくりしました。なぜなら、私からみると、健康になるためや特別な能力を得るための站桩功など、様々な站桩功をされている仏像様がいらっしゃるからです。

仏像様が站桩功をされていると言ったら、失礼だとお坊さんに怒られるかもしれませんが、事実はそうなのです。ある特別な立ち方、手印をすると、宇宙エネルギーとつながることができます。仏像様の立ち方、手印がそうです。

では、昔の人はどうしてそういう立ち方や手印がわかっていたのでしょうか。

それは、長い歴史の中で人間の気と宇宙エネルギーの関係の法則を理解していたからだと思います。

昔のお寺では、高僧様が持っているいろいろな手印に関する知識を、お弟子さんに教えてあげていました。高僧様はお弟子さんの弱いところをみて、心臓関係の手印、腎臓関係の手印、肝臓関係の手印、脳の関係の手印とか、そういう知識を授けていたのです。

手印はお寺によって違います。もし、いつもその手印をすると、あなたはその流派ということになります。

こういうものは、初めは自己流ではない方がよいです。相当のレベルでないと、偏差で

おかしくなることがあるからです。まずは站桩はそういうことだ、静功はそういうことだ、呼吸はそういうことだ、とわかるようになるまで、いろいろ勉強して修行することです。そうしたら最後は自由自在になります。そして、いつか皆さんが高僧様のようなレベルになったら、手印や呼吸法が自己流でも、それは流派ということになります。

站桩功は簡単ですが、とても深いものです。

いろいろな武術でも宗教でも、站桩功と静功をやらないとレベルアップすることはありません。

站桩功を長くすると身体の中の気が強くなります。身体の中の環境が変わります。こういう世界は、話より実際にやるしかありません。ただ正直な話、二千時間、三千時間、站桩功をしないと身体で悟ることは難しいです。

日本語にこれを表す言葉があります。

「覚悟」です。

「覚」は感覚です。覚悟とは、「覚」から「悟」になるということです。

元々の素材の良い方の中には、一時的に宇宙エネルギーとつながって、何かわかる方がいますが、ずーっと続けてつながり続けて、本当の智慧になることはなかなかできません。

最初の志が大事です。

健康になりたいためでしたら、健康でいいのです。でも、もっと高いレベルを目指すのでしたら、時間や気持ちなど払うものも多いのです。そういうことです。

五つ目の入り口　静功（瞑想法）

静功（瞑想法）とは静かな気功ということです。

静功は静かであればあるほどよいです。ただ「静かな状態」というのは、最後に到達するところですね。初めのうちは、静かな状態になることは難しいと思います。特に座禅に身体が慣れていなければ、静かに長く座ること自体、相当難しいことです。なので身体が慣れるまで、まずは長く座る練習が必要となります。

「意識が入っている静功」と「意識が入っていない静功」

歴史的に見ると、静功には儒教系のものが多いです。孔子、荘子、孟子などの文化人は全て静功を大切にしていました。

静功には「意識が入っている静功」と「意識が入っていない静功」の二種類があります。

日本の仏教は「意識が入っていない静功」です。

何も考えず、そのまま長く座り続けます。でもそういう修行をする根拠があります。「久座必有禅（長く座ると禅のことが必ずわかってくる）」という言葉があるように、毎日長く座ると効果が出てきます。

昔、仏教の禅宗の流派の修行をする方、道家の道士の修行をする方は、寝るためのベッドがありませんでした。ずーっと座って修行し続けるのです。静かに座って、深く静かな特別な状態になったら、たとえそれが何分間でもそういう状態になったら、八時間も寝る必要がなくなるのです。私はそういう本物の方達と会ったことがあります。そういう方達は寝ません。座るだけです。座って意識が変わると、寝るよりもっと深い道に入るのです。

人間八時間も寝ることは無駄です。でも仕方ないですよね。

難しい気功法、レベルの高い気功法は、本当に静かな状態になる訓練をすることが必要です。そして本当に静かな状態になると、相当深い世界に入ることができます。

ただ「意識が入っていない静功」は相当な知識、意識がなければ長く座ることができません。多くの人は途中で寝てしまいます。そのため中途半端な静功の方が多いのです。

私のおすすめは道家、チベット密教、日本の密教の静功です。

これらの静功はイメージすることがかなり豊富です。有りの世界とか、無いの世界とかいろいろ考えて座っています。

私が普段、教室で教えている静功は、宋の時代の張三豊（ちょうさんぽう）、邱処機（きゅうしょき）の方法、小周天、大周天は道家、龍門派の方法です。なぜかというと、感じやすく進歩しやすいからです。何年も修行してもわからないということはなく、やれば必ず感じることができます。

周天が開く

静功は座って行います。身体の力をダラッと抜いて、上半身の重みを会陰にかけて座ります。座るのは、椅子でも座布団でもよいです。

顎は引きます。ただ、顎に力を入れて引くのではなく、頭のてっぺん（百会）が、風鈴のように天から細い紐で吊り下げられている感じで引きます。そうすると頸椎や背骨がまっすぐに下に引っ張られ、自然にぴしりとなります。

この状態を横から見ると南京錠のようです。教室でも南京錠のように、というと皆さん正しい形になりますすね。

別の流派の教えに、高い山から下に自分を落とすというものがあります。

高い山から落とされたら死んでしまうかもしれません。背骨も内臓も全部バラバラです。そのバラバラの背骨をつなげて、頭のてっぺん(百会)が天から吊り下げられているイメージで座ります。意識はありますが、内臓も筋肉も山から落ちているからほとんど抵抗がありません。背骨とか内臓とか筋肉とか身体の上半身全てが、座骨まで重力でただ沈んでいる感じです。

静功はそういう感じで行います。

静功の場合、背骨と座骨が大切です。

頭から座骨まで背骨をぴしりとして、上半身の重力を会陰にかけ、長い時間座り続けます。会陰に重力が集まってくると、会陰のところに反重力が出てきます。会陰のところがムズムズと熱くなります。点火です。人間は会陰のところを点火できるのです。点火したエネルギー・気は背中の督脈を昇ります。敏感な方の中には、自然に気が昇っていく方もいますが、一般的には、息を吸いながら、意識で気を昇らせます。熱い火のような感覚が、督脈を通って第三の目まで昇っていきます。そして第三の目から身体の前、任脈を降りてきます。

こうしてぐるっと気を回すことを周天といいます。

会陰から督脈を昇って第三の目まで、そして第三の目から任脈を降りて会陰まで、督脈と任脈に気をぐるっと回すことを小周天呼吸法といいます。一方、全身の経絡に気を回すのが大周天呼吸法です。小周天が開いてくれれば、大周天も自然に開いてくることがあります。

周天が開く、周天の感覚が出てくるということは、身体の中に、電流みたいな回路、経絡の流れみたいなものが出てくるということです。経絡に気が流れ、気の道がつくられると、経絡に沿った各ツボも開かれ、身体全体の循環が良くなり、毛細血管が開いてきます。

周天を流す方法を教える流派は多くあります。

意識で回す流派も、何も意識しないで回す流派もあります。しかし、何も意識せず、自然に長く座っているだけで周天を流すことはなかなか難しいと思います。それより小周天、大周天のように、身体の中にそういう経絡の道、気が流れる道が決まっているんだ、そして意識、呼吸で私にもそういう流れができるんだ、という方が理解しやすいし、学びやすいと思います。なので、世の中には意識で回す周天呼吸法の流派が数多くあります。

陰陽転倒

静功の時、私は自分で作った直径一〇センチぐらいの小さな円い座布団のようなものを使っています。中身はシュロです。布の色は朱色か赤がおすすめです。なぜそういうものを使うかというと、会陰は「陰」だからです。

会陰は身体の全ての陰の気が合うところです。一方、身体の全ての陽の気が合うところは、頭のてっぺんの百会です。

気功の修行は、下半身の陰を、呼吸、意識で陽にすることです。

上半身の重力を会陰にかけ、長い時間座ります。会陰のところが熱くなり、身体の後ろ、督脈を通って気が昇っていきます。頭のてっぺんについたら、頭のてっぺんの陽の気を身体の前、任脈を通して降ろします。頭の陽の気と地面の陰の気がつながってきます。下半身の陰の気が督脈を通って昇っていきます。頭の上、天の陽の気とつながっていきます。身体の陰の部分と頭の上の陽の部分がつながっていきます。頭の陽の部分を任脈を通して降ろします。降ろした陽の部分と地面の陰の部分がつながってきます。

こういう循環になれば「陰陽転倒」になります。「陰陽転倒」とは、下半身の陰を上に昇らせ、上半身の陽を下に降ろすことをいいます。陰陽転倒は気功の基本原理です。これは静功だけでなく、動功でも站桩功でも同じです。この「陰陽転倒」が一時的にできるか、日常生活でずっとできるかは、個人の修行によって違います。

現代人の多くは、下半身に陰が集まり、冷えています。原因は、下半身の陰の部分が上に昇っていないからです。そして上半身の陽の部分が下に降りていないからです。

下半身が陰になると、足が冷え、脱肛とか痔とか、女性でしたら子宮の病気が出てきます。そして上半身の陽が強すぎると、高血圧、糖尿病、心臓の問題などが出てきます。

健康になるためには、下半身の陰と上半身の陽を逆にする、陰陽転倒をしなくてはいけません。

下半身が陽になれば、足も元気で歩けるし、浮腫むこともありません。

上半身が陰だと、顔色はちょっと紫っぽい、白っぽい感じになります。世の中を見ると、長生きする方、九〇歳、一〇〇歳の方は、そういう静かな陰のような感じの顔色です。逆に年を取って顔色が赤い方は、一見元気そうに見えますが健康ではありません。若い時の赤い、血行が良い顔色とは違うのです。若い時はよいのですが、年を取ると陰陽転倒をしないと長生きすることが難しくなります。

皆さんにとって陰は冷えているイメージですよね。でも、陰は静かな道に入り、自分の気を守り、物質的なものが集まるということです。陰には、太陰、厥陰、小陰の三つの陰がありますが、七〇歳になったら太陰になった方がよいといわれています。

私の教室関係の方、治療関係の方でも、長生きする方には陰の流れがあります。

静功の最終目的は胎息呼吸

静功では腹式呼吸をかなり大切にしています。

でも初心者の方が、最初から腹式呼吸をすることはおすすめしません。初めは、ゆっくりゆっくり肺で自然呼吸をすればよいです。そうして自然呼吸をしながら、身体が慣れてきたら腹式呼吸へ、そしていろいろな流派の呼吸法、例えば、小周天呼吸法、瓢箪功、真気運行法（下丹田呼吸法）などへ進んでいけばよいでしょう。

静功の呼吸の最終目的は、胎息呼吸です。

胎息呼吸は、まったく呼吸をしない状態、いわば冬眠のような状態です。

最初は不安とかイライラがありますよね。でもずっと静かに座り続けると、身体の方はどんどん冷たくなります。身体、皮膚、全ての感覚が麻痺しているような、ぴりぴりとした感じがします。最終的には筋肉や皮膚が——実際に触りはしませんが、もし触ったとしたら——まるで砂を手で触っているような、サラサラとした感じになります。

その時、身体は仮死状態です。それは本当に死ぬのではなく、死んでいるような感じです。自分の存在はわかっているけれど、それほど敏感ではない。でも身体全体がわかる感じでもない。そういう状態です。

身体が仮死状態になると宇宙エネルギーにつながってきます。


どうして仮死状態にまでなる必要があるのでしょう?

人間の身体は、進化の過程で単細胞から多細胞の状態になってきました。しかし多細胞の状態は、肉体の欲望とか雑念とかいろいろありすぎるのです。相当のレベルに入りたいのでしたら、単細胞の状態に戻っていかないといけません。気功は多細胞から単細胞の状態に戻っていくための方法なのです。

しかし、単細胞の状態に戻っていくと言われても、なかなか想像できないですよね。

簡単なイメージとしては、人間ですが人間以外のものになるのです。ある流派では、昆虫みたいな状態になるといいます。最後は石みたいなもの、ひとつの塊になります。単細胞の状態になるということは、身体の雑念がなくなるということです。動かなくなります。生きてはいるけれど、死んでいるのと似ている状態です。そういう状態で瞑想をすると相当のレベルに入ることができます。

誰でも、特別な能力、例えば宇宙との関係ができるとか、遠隔治療ができるとか、そういう能力が欲しいと思ったり、あるいは、前世を知りたいとか、自分の祖父、祖母と話したいとか、自分の命は何かとか、自分の霊的な関係はどうかとか、不思議な世界について知りたい気持ちがあると思います。

もし、皆さんがそういう特別な能力が欲しいというのであれば、単細胞の状態にまでならないといけません。ひとつの塊にならないと、宇宙エネルギーとの関係はできません。そして、こういうことは、相当な時間をかけてやらないと難しいです。禅宗では、最低二千時間とか三千時間とか座ることが必要だといいます。

身体が多細胞から単細胞の状態、仮死状態になると、宇宙エネルギーにつながってきます。

太陽の表面温度は五八〇〇ケルビン、人間の体温は三一〇ケルビンです。

では宇宙の絶対温度はどれぐらいだと思いますか。

宇宙の絶対温度はたったの三ケルビンです。想像できないですよね。宇宙は見えない陰のエネルギーが強いのです。その三ケルビンの宇宙エネルギーと関係するには、相当な陰の世界に入らないと無理です。相当の時間をかけ身体が本当に静かな深い道に入って、単細胞の状態に戻って仮死状態になった時、宇宙エネルギーとの関係ができるのです。

例えば人間が二ケルビンになったら、三ケルビンの宇宙エネルギーが入ってきます。でも五ケルビン、六ケルビンだったら、三ケルビンの宇宙エネルギーは入ってきません。気功でも、宗教でも、祈りでも、そうした世界では、そういう状態になったら、少しだけ宇宙エネルギーをいただくのです。

宇宙エネルギーをいただき、最高の状態になったら悟るということです。人間の肉体レベル、精神的レベルが、三ケルビンの宇宙エネルギーにつながったら、わかってくるということです。それを言葉で表すならば「覚悟」ということかもしれません。

小周天呼吸法

では、ここから小周天呼吸法について具体的にお話ししましょう。

健康のために気功をする方にも、特別の能力が欲しくて気功をする方にも、小周天呼吸法は必要です。身体に流れる気の道がわからないと、健康になること、身体に自然な良い流れをつくることは難しくなります。

気の道・気の質

小周天呼吸法は督脈と任脈に気を流します。

ゆっくりゆっくりゆっくり息を吸いながら、会陰から第三の目まで督脈を通って気を昇らせます。第三の目についたら、ゆっくりゆっくり息を吐きながら、任脈を通って会陰まで気を降ろします。


この時、理論的、教科書的にいうと、一本の気の線が督脈を昇り、任脈を降りるということなのですが、現実的には、初心者の方が、最初から背中に細い線のような気の流れを感じることは難しいと思います。初めは何となく気が昇っているな、何となく気が降りているなという感覚だと思います。

私の体験でいうと、最初は線ではなく面です。

温かいものが、ほわぁーっと背中を二〇センチぐらいの幅で昇っていくな、そして第三の目についたら、そういう全体的なものが身体の前を降りてくるなという感じでした。それを何度も練習しながら、徐々に、幅を一〇センチ、五センチと、意識で狭くしていくのです。

息を吸って、意識で幅を狭くして気を昇らせます。そして息を吐きながら、意識で幅を狭くしていって任脈に気を降ろします。また息を吸って、もう少し狭い幅で気を昇らせて、そうしてどんどん意識で幅を狭くしていきます。そうしてどんどん感じるようになってきて、最後、お箸の太さぐらいまで線が細くなってきたら、それはもう一般的な気功のレベルではありません。レベルが違います。

気の修行は、やればやるほど線になっていきます。具体的なものになります。それは温かいかなとか、そういうものではありません。

身体を流れる周天は身体の中の気の道です。

気の道は空洞です。

しかし、最初のうちは、空洞をなかなか気が昇りませんし、降りません。なぜかというと、最初のうちは空洞の質が泥土のようなため、摩擦が強いからです。

しかし練習を続けると、空洞の質が変わってきてステンレスのようになってきます。ステンレスのようになったら摩擦も少なくなります。すべすべですから。

空洞の質がステンレス状に変わってきたら、気の質も変わってきます。気もいわばステンレスの気になります。そういうレベルになったら治療能力も出てきます。逆に言うと、もしあなたが治療能力を欲しいというのなら、気の質が変わらないと難しいです。特に気功の「功」のレベルになるには、気の質が全てステンレスのような強さにならないと無理です。それが小周天呼吸法です。

もし小周天呼吸法でなかなか気が昇らない場合は、左回り（頭に時計の盤面を天に向けて置いた時、時計の逆回り）に気をぐるぐる回転させながら昇らせてください。そして、第三の目についたら、今度は時計回り（頭に時計の盤面を天に向けて置いた時、時計回り）に気をぐるぐる回転させながら降ろします。もちろんこれは空洞がステンレス状の段階ではなく、ステンレスよりもっと前の初級の段階ですが、こうして気を昇らせたり降ろしたりする練習をし、そしてどんどん気を回すことが上手になってきたら、意識で空洞の質をステンレス状にしていきます。

関（税関）

小周天で気を会陰から督脈に昇らせる時、いくつか気が昇りにくい箇所、関（税関）のような箇所があります。そのため、そういう箇所はやや力を入れないと気が昇りません。まず、気を督脈に昇らせる時、背骨、胸椎の五番、六番あたりに関があります。そこを超えると、頸椎の七番あたりに関があります。そこを超えると、また首の辺り、頭蓋骨の下のところ、更に第三の目の後ろのところにも関があります。そこと第三の目を通り、任脈に沿って気を降ろします。

気を降ろす時も関はありますが、昇る時ほど強い関はありません。ただ壇中に少し大きな関があります。そして壇中を通って下にいくと、胸骨とお腹の間の鳩尾（きゅうび）のところ、更に下にいくとおへその水分（すいぶん）、そして下丹田のところに関があります。さらに下にいくと恥骨の上の方に関があります。そこを通って後ろの方にいけば、肛門のところにいけます。そしてまた、恥骨の上の方を通って、息を吸いながらやや力を入れて肛門を締めて、督脈に気を昇らせます。これを繰り返します。

このように、細かく意識するとひとつひとつ関がありますが、無視すれば、息を吸いながらやや力を入れて、気を督脈に昇らせることができます。そして息を吐きながら、壇中やおへその関は無視して任脈に降ろすことができます。

小周天呼吸法は誰でもできます。教室で一度教えただけでも、気を感じている方、温かさを感じている方もいます。しかしそれは初級の段階です。その時の気の質はまだ高くありません。だからといって初級の段階が悪いということではありません。

身体の修行は相当、大切なことです。こうして細かくお伝えしても、最初は感覚が鈍いかもしれませんし、よくわからないという方も多いかもしれませんが、大丈夫です。

虚栄心とか変なイメージとかを持たないで、すごく素朴に、無欲に、三年になるとか五年になるとか考えないで、毎日時間をつくって、ゆっくりゆっくりやり続けることです。そうしてひとつの道に入って、身体の修行を頑張って続けていると、身体の質が自然に変わってきます。絶対に良い人間になります。それが小周天呼吸法です。

難しいけれど、難しくない。難しくないけれど、そういうことを考えなければ、レベルが上がることは少し難しい。

だから小周天呼吸法はやり続けることです。

小周天呼吸法

小周天呼吸法では、
督脈と任脈に気を流します。
背骨と身体の前がつながります。

動作

①ゆっくりゆっくり息を吸いながら、会陰から督脈を通って、第三の目まで気を昇らせます。

②第三の目についたら、ゆっくりゆっくり息を吐きながら任脈を通って、会陰まで気を降ろします。

①から②を適度に繰り返し、最後に収功します。

呼吸

順腹式呼吸、逆腹式呼吸、内呼吸、皮膚呼吸、胎息呼吸。

意識

九〇～九五パーセントぐらい朦朧とした意識で行います。

① 息を吸いながら、
会陰から督脈を通って、
第3の目まで気を
昇らせる。

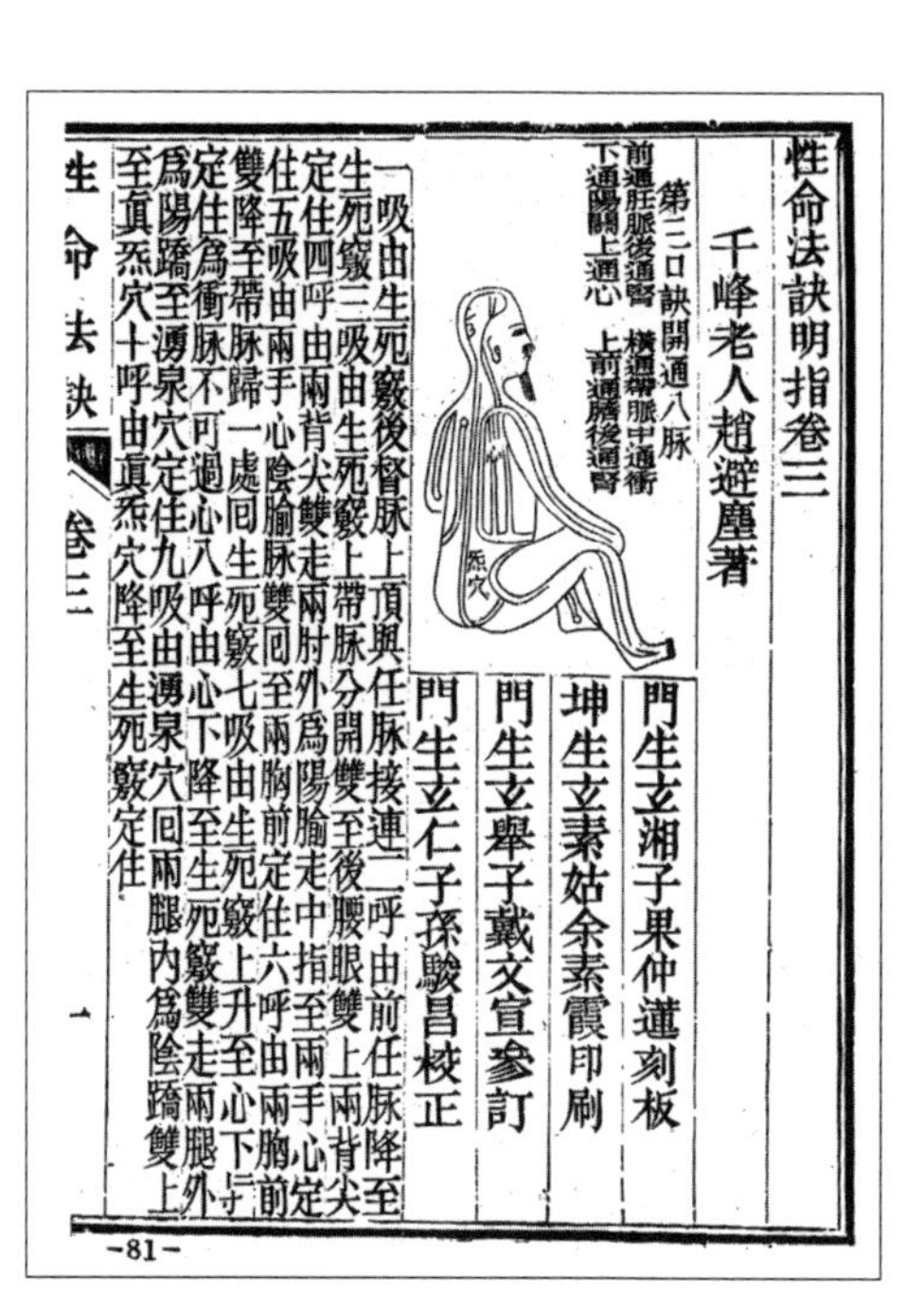

性命法訣明指卷三

千峰老人趙避塵著

第三口訣開通八脈
前通任脈後通督　横通帶脈中通衝
下通陽蹻上通心　上前通臍後通腎

門生玄湘子果仲蓮刻板
坤生玄素姑余素霞印刷
門生玄舉子戴文宣參訂
門生玄仁子孫駿昌校正

一吸由生死竅後督脈上頂與任脈接連一呼由前任脈降至生死竅二吸由生死竅上帶脈分開雙至後腰眼雙上兩背尖定任四呼由兩背尖雙走兩肘外為陽蹻走中指至兩手心定任五吸由兩手心陰蹻脈雙回至兩胸前定任六呼由兩胸前雙降至帶脈歸一處回生死竅七吸由生死竅上升至心下[illegible]定任為衝脈不可過心八呼由心下降至生死竅雙走兩腿外為陽蹻至湧泉穴定任九吸由湧泉穴回兩腿內為陰蹻雙上至真炁穴十呼由真炁穴降至生死竅定任

性命法訣　卷三　一

-81-

（参考）大周天呼吸法
道家龍門派　十呼吸周天法

② 第3の目についたら、
息を吐きながら
任脈を通って、
会陰まで気を降ろす。

瓢箪功

続いて、瓢箪功についてお話ししましょう。

私が教えている瓢箪功は、晋の時代の抱朴子（ほうぼくし）（本名、葛洪（かっこう）先生）という仙人の教えです。抱朴子はお医者さんで、気功の養生、養成において大変有名な方です。

歴史的に、多くの難病の方が瓢箪功で治ってきたといわれています。私自身も身体の調子がよくない時は瓢箪功をします。


瓢箪功の目的は、気を集めることです。

気をたくさん集めると体質が変わってきます。陰の方は陽になって、陽が強すぎる方はその部分が減っていきます。特に血圧の高い方が瓢箪功をすると、下丹田に気が集中するため血圧が下がっていきます。

誰でも、身体がもうダメという時とかありますよね。また病気で治療法がない。でも自分はもっと生きたい。一日でも一ヶ月でも長く生きたい。そういう時、私なら瓢箪功をします。もし今、身体の調子が悪いのでしたら、毎日、時間があればやる。瓢箪功は、本当に命を助けてくれる気功法です。

瓢箪功の方法

瓢箪功のポイントは、まず胸のところで両手を重ねて当てるところです。

女性は、左の手を胸の壇中のところに当てます。この時、手の平の労宮のツボを壇中に当て、左手の上に重ねた右手の労宮のツボと、左手の外労宮――これは一般的なツボとは違うのですが――を合わせます。男性は左右逆です。労宮のツボと壇中のツボを合わせたら、力を入れ、やや圧迫しながら呼吸を行います。


瓢箪功と普通の呼吸との違いは、瓢箪功は、気を入れる呼吸だというところです。

胸の上に両手を重ね、息を吸います。

胸を開いて、息を吸って吸って、突然息を止めて、お腹を膨らませます。膨らませます。

そして息を吐くのではなく止めたまま、胸の気を意識でお腹に入れます。

この時、力を入れてぎゅーっと気を入れるのではなく、おへそ下三寸のところ、子宮の奥、相当深いところをイメージして、ため息までいかなくても、くーっと気を入れます。

息は止めたままです。一般的に気を入れる場所は下丹田と言われるところですが、本当はもう少しややこしく、説明が難しいところがありますので、後の真気運行法のところで説明します。

意識は下丹田です。下丹田を意識すると、気が下丹田まで集まってきます。息を止め続ける時間は長ければ長いほどよいですが、苦しくなるまで無理はしないでください。息が苦しくなる前に、はぁーっと吐きます。吐く時の意識は、頭の上の蓋みたいなものが開く感じです。魔法瓶に蓋をして圧力を高くすると、ぽんっと蓋が開くではありませんか。そんな感じです。はぁーっと息を吐きながら、真っ赤な気をイメージして中脈に集め、中脈から中丹田に集めます。

これを繰り返し、最後に収功します。

瓢箪功は、息を吸う時は胸が大きく、息を吐くのではなく止めている時はお腹が大きくなります。この時の形が瓢箪みたいなところからこの名前が付きました。

瓢箪功でお腹を膨らませて息を止めている時は、無理やり副交感神経を活性化させている状態です。

息を止めている時間は、長ければ長いほどよいです。ただ、最初は自分では息を止めている時間が長いかどうかはわかりません。ではどうすればよいのかというと、数を数えるのです。それも自分の中で一番早く数えられるスピードで数えるのです。

初めのうちは一二〇ぐらいだと思います。私の体験でいうと一五〇ぐらい、時間でいうと三〇秒か四〇秒ぐらいです。でも練習していくと、一五〇、二〇〇とどんどん長くなっていきます。そしてもうそろそろ苦しくなるよ、となった時、はぁーっと息を吐きます。

抱朴子は二千まで数えていたそうです。二千というとだいたい一〇分間ぐらいです。かなり長いですね。でも一般的にはおすすめしません。何年間も相当な修行した、特別な方だからできるのです。普通は三、四分です。こういう世界は競争の世界ではありませんので、自分の健康状態に合わせて行います。

瓢箪功

瓢箪功は、気を充実させる力が強く、様々な病気を内側から治していく効果があります。

動作・呼吸

女性は左手、男性は右手を下にして、両手を胸の壇中で重ねます。

①息を吸う時、瓢箪を逆さまにしたように、胸を大きく膨らませます。

②息を止め、お腹をぎゅーっと瓢箪のように膨らませ、息を止めたまま気を下丹田に入れます。

この息を止め続ける時間は、長ければ長いほどよいです。ただし、苦しくなるまで無理はしないでください。

③息が苦しくなる前にはぁーっと吐きます。息を吐きながら、真っ赤な気をイメージして中脈に集め、中脈から中丹田に集めます。

①から③を適度に繰り返し、最後に収功し、下丹田に気を収めます。

意識

息を吸う時は、胸の方を大きくし、瓢箪が逆さまになった形をイメージします。

息を吐く時は、お腹を大きくし、瓢箪そのままの形をイメージします。

① 息を吸う時、
瓢箪を逆さまに
したように、
胸を大きく
膨らませる。

② 息を止め、
お腹を瓢箪のように
膨らませ、
息を止めたまま
気を下丹田に入れる。

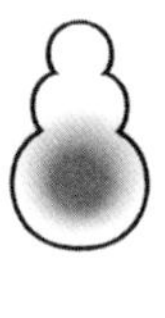

③ 鼻から息を
ゆっくり吐きながら、
真っ赤な気を
イメージして
中丹田に集める。

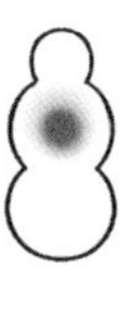

①から③を適度に繰り返し、
最後に収功し、下丹田に気を収める。

六訣呼吸法

六訣呼吸法は、中医学の理論を元にした気功法です。
三〇〇年前からのもので、歴史的にはそれほど古くからあるものではありません。お経とか言霊とか、身体の内臓の響き、内臓の良い循環になることなどと、やや関係があります。

六という数字は、五臓（肝臓、心臓、脾臓、肺臓、腎臓）＋三焦を意味しています。六訣法の六種の字の発音と、六種の臓腑の波動には関係があり、六種の特定の音で発声することにより、それに共鳴する臓腑を健康にします。

六訣呼吸法の臓器と発音の対応

- 肝臓：嘘(xu)
- 心臓：呵(he)
- 脾臓：呼(fu)
- 肺臓：呬(si)

●腎臓：吹(chui)
●三焦：唏(xi)

六訣呼吸法は、もちろん全ての音を発声してもよいですし、もし肝臓が弱い方だったら肝臓の嘘（xu）を、もし心臓が弱い方だったら、心臓の呵（he）のように、特別な臓器の音だけを発声してもよいです。ただ、喉からの発音や口先からの発音など、日本語にはない発音があるので、日本人には少し発音が難しいところがあるかもしれませんね。

チベット密教のオーン・マニ・パメー・フーンは、口から音を出して内臓を振動させる方法です。それは口密（くみつ）、言霊、秘密のことで、密教にも仏教にもあります。

密教の三つの密は、身密（しんみつ）、口密、意密（いみつ）で、意密は異なる意識の考え方・勉強しないと知らない考え方です。身密は身体の形を変えながら、その時、その時、スーとか、ウーとか発声する方法です。仏教の五体投地は、相当な身密です。

チベットの密教のオーン・マニ・パメー・フーンを一日何十万回も言うと、身体がよくなるといわれています。「なぜ？」「どういう関係があるの？」それは秘密です。それが密教なのです。

真気運行法（下丹田呼吸法）

真気運行法は李少波（りしょうは）先生の気功法です。真気運行法、下丹田呼吸法など呼び名はいろいろあります。私の教室では、簡単に丹田呼吸と言ったりしています。

李少波先生は高名な漢方医です。中国の歴史も深く学ばれ、伝統的な良いものを集められました。

真気運行法の「真気」とは、「真の気」「本当の気」「元の気」という意味です。「元」は初めという意味です。「真気」とは、誰でも身体の中に持っている「元の気」「元気」ということです。人間は生まれた時、元は「元の気」があったから「元気」だったのです。でも年を取るにつれ「元の気」をどんどんなくしていってしまいます。

真気運行法は、直接丹田をつくり、丹田でつくった気、「真気」を身体中に運搬する方法です。そうすると健康になります。

この名前はよいと思いますね。この真気運行法という名前も李少波先生が付けました。

下丹田

真気運行法では、基本的に息を吸う時は意識しません。そして吐く時を大切にします。長さは、吸う息が一だったら、吐く息は二から三ぐらいです。

息を吐きながら、下丹田に気を入れます。

この時、どこから？などは考えないでください。それは周りの気です。宇宙エネルギーです。息を吐きながら、そういう周りの気を下丹田に入れます。

常識とはちょっと違いますよね。

常識的には、息を吐く時は気が出ていきます。でも、そういう意識もしないでください。それは自己流です。まずは自己流ではなく伝統的なこと、何千年も伝えられてきたことを大切に学ぶ。それが上達のコツです。

気を入れる場所は下丹田です。

下丹田は膀胱の後ろ、直腸のところです。陰蹻脈（いんきょうみゃく）が開くところ、会陰の、直腸のちょっと上の方が下丹田の入り口です。もっと入ると女性の子宮です。直腸と膀胱の間にはいくらか距離があります。でも、普段は距離があってもそういう意識はないですよね。

「有気則開、無気則閉」という昔の有名な言葉があります。

「気があれば、ポケットが開いてくる。気がある人はポケットに手を入れられる。しかし気がなければポケットはぺったんこのまま」という意味です。

息を吐いて、下丹田に気を入れれば入れるほど開いてきます。


この「開いてくる」とはどういうことでしょうか。

「元の気」に戻るということです。

人間は皆、生まれた時、ポケットの中に一万円（「元の気」）が入っています。でも、二〇代、三〇代、四〇代と年を取るにつれ、どんどん「元の気」を消耗し、ポケットの中のお金（「元の気」）が減っていきます。そうすると病気になりやすいのです。なぜなら「元の気」が少なくなってしまっているからです。真気運行法は「元の気」に戻るための呼吸法です。


では、「元の気」に戻るというけれど、どこに戻るのでしょう？

戻る場所は丹田です。

丹田には「丹」と「田」の二つの意味があります。

「丹」とはエネルギーの核です。昔、「丹」になったら、お腹にぴかぴかと金色の光が出ると言われていました。

「田」は田んぼ。田んぼは食物とかお米などを育てる場所、生かす場所です。つまり丹田とは、そういう「丹」を育てることができる場所です。

「丹」が全身のあちこちに存在するという流派もあります。

特にカンフーとか武術とかは、手をぱーっとすると「丹」、エネルギーが出ている。足をぱーっとすると「丹」、エネルギーが出ているといいます。しかしそれは「丹」です。「田」ではありません。丹田というのは、下丹田にしかありません。

真気運行法の六段階

では、具体的に六段階の真気運行法についてお話ししましょう。

一般的な真気運行法は三段階までですが、伝統的には六段階あり、私が教えているのも六段階のものです。

第一段階（一五日間）

一段階目は、鳩尾（みぞおち）までの練習法です。

息を吸う時は意識しません。

吐く時、鳩尾に気を入れます。また吸って意識しません。そして吐く時、鳩尾のところに入れます。

この段階では、何を鳩尾に入れるかは考えないでください。またどこからどう入れるのかもわからなくてもよいです。何か見えない不思議なものを、吐きながら入れている感じです。

練習は、厳しいことをいうと一五日間続けてすることが大切です。

皆さんは一日に一〇回とか二〇回とかはできても、それを毎日するのは面倒くさいですよね。でも一週間、一〇日間ぐらい続けると絶対に感じることができます。一五日間続けると、鳩尾のところが重くなって、石みたいなものが入っているような感覚が出てきます。

第二段階(一五日間)

二段階目は、鳩尾から下丹田までの練習法です。

二段階も一五日間です。

息を吸う時は意識しません。

吐く時、鳩尾に集まった重いものを下丹田まで降ろします。重いものをイメージして、重いものを下丹田まで降ろします。下丹田に気が集まります。どんどん下丹田が重くなります。実になります。ポケットみたいなものが感じられるようになります。

第三段階（一五日間）

三段階目は、下丹田だけの練習法です。

三段階目も一五日間です。

息を吸う時は意識しません。息を吐きながら下丹田まで降ろしていきます。

息を吸って、わからないですよね。吐いて、下丹田まで降ろしていきます。

息を吐きながら、何かわからないものを下丹田に入れます。

初心者の方が最初から直接、下丹田に入れようとしても、ほぼ百パーセントわからないと思います。でも、第一、第二、第三という段階で行うと、半分以上の方が感じることができるようになります。

また、敏感な方は、気が見えるとか空中に何かを感じることがありますが、そういうことは敏感でないとわかりません。だから敏感な方がそういうことを言っても、嘘つきとか、なんで？とか言われたりすることがあるのです。

実際はこの時、周りの気がお腹に入っていっているのです。それは本当の気、見えない気、空気より小さい気です。

本当にお腹まで入っていけるのでしょうか？いけます。

物理学の世界では、ニュートリノは人間の身体を一秒間に数百兆個も通っているといわれています。私は站桩功でも、静功でも、宇宙エネルギー、ニュートリノをお腹の中に集めることができれば成功すると思っています。

もちろん、気功の気はニュートリノだけではありません。ニュートリノ以外にもダークマター、ダークエネルギーといわれる様々なエネルギーがあり、私がイメージしているそういう気は、空気などとは全く違うものです。そういう世界のことの説明は難しいですが、感覚としてはわかるようになります。

三段階目では、息を吐きながら下丹田にそういう周りの気を入れます。下丹田がどんどん熱くなります。温かいというより、異常な熱さです。肛門のあたりに小指くらいの太さの龍のような、熱い水銀のようなものが突然流れます。

私も最初の時、感覚的には四〇度以上の熱さに感じました。でもずっと熱いわけではありません。時間にすると一分間もないでしょう。

こういうものは意識と強く関係があります。意識が強すぎたり、すごいなと興奮したりするとなくなります。だからといって、意識が全くないのもよくありません。

気功は全て意識と感覚の現象です。感覚が何もないのも、感覚が強すぎるのも、気功の道とは合わないのです。執着はいらないけれど、執念は必要なのです。その微妙な間を探すこと、体験すること。それが気功の真髄です。

呼吸も同じです。

気功では、すごく優しく呼吸をしながら、優しく優しく優しく気を入れます。こういう呼吸法を「火候」といいます。個人によって、火（エネルギー）を燃やす方法、火の強さは違いますから、火候にも個人差があります。

ある方は吸って吐いてと呼吸をするとすぐに感じます。でも、ある方はなかなか感じません。つまり、その方にとって一番良い量の気が入った時、初めて感じがわかるのです。こういうものは自分で体験するしかありません。それは簡単なものではなく、すごく時間がかかると思います。でも、そういうところまでわかれば、丹田のことが、丹田のことがどんどんわかってきます。

私も長い年数、修行しました。なのでこうした現象がたまに出てくることがあります。たまに出てきて、たまに出てこない。そしてまだ練習する。やってもやっても出てこない。出ないのかなと思うと、時々出てくる。気功はそういう世界ですね。

でもやり続けていると、出る時の体感とかそういうことが、どんどんわかってきます。こういうものを「悟（悟る）」といいます。こういうものは身体で訓練しないとだめですね。

こういうものは宗教と似ているところがあります。

人間と神との関係とは、実際は人間と宇宙エネルギーの関係です。

神様は本当にいます。神様がいる、と信じている人にはやっぱりいます。でもいないと思っている人には九九パーセントいません。このことについて宗教では様々な方法で説明しています。宗教もそういうところまで学ぶことが必要ですね。

論理的な知識と宗教は違います。私は孔子と老子との違いはそういうところだと思っています。孔子は真面目です。善いか悪いかばかりです。一方、老子は宇宙エネルギーとの関係を語っています。それは老子の特別な世界です。でも誰も信じてくれません。今から見ると、彼が言っていたことやややっていたことは、人間と宇宙エネルギーとの関係の知識に基づくものです。


さて、真気運行法の三段階目を練習し続けると、丹田が熱くなり熱い水銀みたいなものが流れ出てきます。でもこれだけだとまだ足りないですね。気を身体の後ろ、督脈を昇らせ上に運搬するのです。そして第三の目についたら前の方、任脈に降ろします。

そうして小周天を何回かやって、息を吐いて下丹田のところに気を入れます。そうしてどんどんやって、相当の感じがどんどん出てくると、会陰が熱くなってきます。

会陰は人間の中で開くのが一番難しいツボです。実際、足裏が冷えている方が多いですね。それは会陰が閉まっているからです。でも会陰に気が集まって熱くなったら、必ず督脈を昇っていきます。そして第三の目につくと爆発します。

一般的に多いのは、雷のような、まるで頭が分裂したのかなという感じの爆発です。身体もびっくりして、振動して熱くなって、全身が開きます。現代の言葉で言うと全身の毛細血管が開くということです。

ただこの時、気の量が足りないと毛細血管は開いてくれません。毛細血管を開くには相当の量が必要です。下丹田の訓練が一万回ぐらいだったら難しいでしょう。でも一千万回ぐらいになったら毛細血管が開いてきます。

子供は毛細血管が開いていますが、大人の多くは、三分の一、半分、もしくはそれ以上の毛細血管が詰まっています。だから病気になるのです。

身体の病気は頑固です。でも毛細血管が全て開くと、身体の病気、難病やガンまでもさよならということになります。なぜなら良い気が相当な量になり、環境が変わったからです。病気はもうその身体には住みたくなくなったからです。

身体の気のレベルが上がって、上がって、百パーセントにまでなって爆発する。ただそこに至るには個人が努力するしかありません。

第四段階

四段階目はほとんど小周天ですね。

自然に小周天をします。自然に、ということは、無理やり力を入れて気を流すのではありませんということです。

息を吸って、会陰から督脈を通って第三の目まで。第三の目についたら息を吐いて、任脈を通って会陰まで。ため息みたいに優しく気を降ろします。

呼吸は逆腹式呼吸です。

吸う時はお腹を小さくして、督脈を気が昇ります。第三の目についたら、吐いてお腹を膨らませて、任脈を気が降ります。

腹式呼吸では、横隔膜や内臓をポンプのように動かして、気を昇らせたり、降ろしたりしますが、この時、横隔膜や内臓のことを考えるのではなく、背骨を優先して、督脈に気を昇らせます。下から上まで昇らせることができると自信を持って昇らせます。そして第三の目についたら任脈に気を優しく降ろします。

意識は気についていけばよいです。そうすれば自然に、息を吸う時、気が昇り、息を吐く時、気が降ります。

しかし多くの方には、呼吸の時、気を昇らせる、降ろすという意識はあまりありません。

特に気を昇らせるという意識はなく、気を降ろす意識の強い方が多いです。だから気がなくなってしまうのです。気の交換ができないのです。だからこそ、私達には呼吸法の練習が必要なのですね。

この気を昇らせる時、小さなラッパのような形、三角形を逆さにし、上が開いている形をイメージし、できれば螺旋状に回転させながら昇らせます。

第三の目についたら、今度は下が開いている三角形の形をイメージしながら降ろします。土との関係です。身体の下は土です。土はとても広くて大きいですよね。そんなすごく広くて開いている感じをイメージしながらで土まで降ろします。

まだ重さはわからないかもしれませんけれど、意識は重くします。

最初のうちはそういう形をイメージしながら、気を昇らせたり降ろしたりします。次第にイメージしなくても自然に、吸って気を昇らせ、吐いて降ろしてができるようになります。これが自然にできるようになるのが小周天で、四段階目です。

第五段階

四段階で小周天が出てくれれば、五段階目です。

五段階目は、気を運搬し続けるのではなく、身体を静かにします。第三の目と会陰が強い磁力、引力みたいなものでつながります。第三の目と会陰の間に一本の磁石みたいな関係が出てきます。

そのままずっと引力をイメージしてください。

この時、第三の目は陰、会陰は陽です。

多くの方は、年を取るに従い下半身が陰になります。そして上半身が陽になります。頭に陽が集まると、身体と命の関係はよくありません。健康になりたい、病気を治したいのでしたら、上半身は陰、下半身は陽という陰陽転倒が必要です。陰陽転倒をすると、会陰のところが熱くなり、督脈を通って気が昇っていきます。そして第三の目についたら任脈を通って降ろします。

昇っていった気は必ず降ろさないといけません。昇ったまま上で止まると、また病気になります。昇った気を下に降ろして、会陰のところが熱くなったらよいです。

静功で会陰が熱くなるのは、站桩功で足裏が熱くなるのと同じ意味です。站桩功をして足裏が熱くなり、子供の素足のような温かい状態になると健康になります。つまり、上半身を陰、下半身を陽にすれば、絶対に健康になります。それが五段階目です。

第六段階

六段階目の話は、やや派手な話というか、少し嘘のような信じられない話なので誤解されることがありますが、こういう世界は本当にあります。でも、こういう世界を知っている方、そこまで修行している方はかなり少ないですね。

ずっと座り続けると、上半身が陰、下半身が陽になります。更にずっと座り続けていると、頭の上に小さなお花が三つ出てくるのです。百会から一〇センチぐらいのところで右に回ったり、左に回ったりします。白、紺、赤の三色の花です。これを三花聚頂（さんかじゅちょう）といいます。三つの花が山頂に集まっているという意味です。

三花聚頂は気功の最高状態です。

これを理論的に考えると、この三つのお花は、動脈（赤）、静脈（紺）、背骨（白）のエネルギーということだと思います。雑念を全てなくし、身体が仮死状態になるまで修行している方は、自然に頭の上に三花聚頂が出ます。

人間は、仮死状態になったら、多細胞から単細胞の状態、そして最後は石とかそういうものになるのです。修行すれば修行するほど人間ではない、もの（物質）になります。もの（物質）のレベルを高くすると、宇宙エネルギーと身体の関係が、粒子同士の関係になります。

こういう段階は、面白いし格好もいいけど、できる方は

かなり少ないですね。

私自身も三花聚頂を見たことがありますが、面白いですよ。美しいですよ。

興味があれば、体験すれば、人生は楽しいです。

第六段階の、次の段階

六段階目の次の段階では、自分、身体の内面のエネルギー、もう一人の自分が頭のてっぺんから出てきます。私は二回ぐらい経験しました。

一回は中国にいた時、もう一回は、四ヶ月アメリカに行っていた時です。どちらも時間があって、部屋でひとりでぼーっと、ぼやんとしていた時です。

突然、髪が短く真っ白い肌の、五、六歳ぐらいの西洋人の男の子が部屋に出てきました。身長は五〇～六〇センチぐらいです。テーブルの上にあるコップを取って水を飲もうとしていました。その男の子は自分です。私は瞬間、それを見ました。幻視とは違います。私は知識があったので、あぁ本当に存在するんだと思いました。

それは、人間の「真人（しんじん）」、「正体（しょうたい）」ということです。人間の身体という洋服を脱皮して出てきたのです。

普段、私達は洋服を着ています。でもずっと瞑想をすると、身体という洋服が脱げて、もう一人の自分が外に出てくるのです。ほとんどの方は本当の自分がわかっていません。

あなたの身体の中に本当の自分がいてもわかっていませんが、もし修行できれば、あなたの中にいるもう一人の自分、本当の自分を見ることができます。宇宙の中にもう一人の自分がいるのです。こういう世界は、相当楽しいですね。

ただ、女性の場合、女の子が出てくるのかどうかはわかりません。私はそういう人と会ったことがありませんし、本にも男は男、女は女と書いていないからです。

肉体、欲、病気、感覚、感情、こういうものは全て三次元のものでレベルが低いものです。でもこういうものを百パーセント捨てることはできません。それでも、捨てて捨てて、九九パーセント捨てて、残り一パーセント。この残った一パーセントに、皆さんの中の、最高レベルの皆さんがいます。

こういうものは神と近い、レベルの高いものです。本当の自分、「真人」です。とても綺麗で純粋で無欲な自分です。

「真人」は、一般的にはちょっと身体から離れているところ、自分の頭のてっぺんにいます。中国古代の名言に「頭上三尺有神霊（頭の上三尺の所に神霊がある）」がありますが、実際は「真人」です。修行された方、健康な方の中には、頭のところに明るい太陽のような光が出ている方がいます。私はダライ・ラマ十四世とお会いしたことがありますが、彼の頭の上には神霊がありました。頭のてっぺんが違うのです。

修行している方は、一般的な人間と物質レベルが違います。

修行をしているか、していないかは、ひとつは頭の上の天門が開いているか、開いていないかです。そして天門が開いていても、天門から光が出ているか、出ていないかです。そして光が出る高さ、功柱の高さです。

すごくレベルの高い方、功徳の高い高僧様は功柱の高さが違います。一〇メートルぐらいの高さの功柱もおかしくありません。以前、ダライ・ラマ十四世の頭の上に、功柱が何十メートルも空までつながっている写真を見たことがあります。


なぜあの人が好きなの?

なぜあの人は人気があるの?

全て功柱の関係です。

功徳がたくさん溜まると、必ず功柱が出てきます。自然に人が集まってきます。もちろん本人の修行が一番大事ですが、家族代々、仏教とか、キリスト教とか、念仏とか功徳を積むと功柱が違います。


功徳の「功」は特別な能力です。

「功」が欲しかったら「徳」を積むことです。心の静かさ、純粋さ、そして困っている人がいたら助けるなど良いことをすることが大切です。学校の先生でも、お寺の御坊様でも、神父さんでも、皆さん徳を積んでいます。徳を積み、徳が溜まると「徳」から「道」、「道徳」になります。「道」とつながったら、いくらでも不思議な能力が出てきます。絶対あります。ないとおかしいですよ。

それをキリスト教では見証(けんしょう)、仏教では悟証(ごしょう)といいます。宇宙の中には、やはり特別な宇宙エネルギー、神が存在して、人間とつながることがあります。それが、たまにつながるか、ずっとつながっているか。それには修行が必要です。

皆さん、特別な能力が欲しいと言います。それは可能です。でも問題は功徳です。

あなたの徳はどれだけ溜まっていますか?

あなたはどれだけ良いことをしていますか?

それが一番大切なのです。功徳をたくさん積んだら、身体にそういう能力を得ることができます。絶対になります。良いことをすれば絶対に良いことになる。悪いことをすれば絶対に罰がある。それが因果応報の原理です。

人間と宇宙エネルギーとは関係がありますから、どんなに上手く隠しても宇宙エネルギーには絶対にわかります。人間は騙すことはできても、宇宙エネルギーとの関係においては絶対に騙すことはできません。

宇宙エネルギーは優しいけれど、自分の人生にとって、宇宙エネルギーの存在はやや怖い存在です。自分は頭がよいから、ちょっとぐらい嘘をついてもわからないのではないか、と思っても、絶対に「返事」がきます。それがいつ来るのかはわかりません。自分に戻らないとしても、自分の子々孫々にきます。「借金」は必ず返すのです。自分は返したくないと思っても、ある形で、無理やりにでも、必ず返すことになります。宗教でも、気功でも「道徳」ということがとても大切です。

人間と宇宙エネルギーとの関係

私は、小柴昌俊先生がノーベル物理学賞を受賞されたニュートリノの研究と、私達の静功は原理的に同じではないかと思っています。

宇宙の最初の爆発の時のエネルギー、その時の物質はまだ宇宙にたくさんあります。それを証明するために、小柴先生は地表から一千メートル下にボールみたいなものを作って五万トンの水を入れ、その湖みたいなものの真ん中に研究室を作ってニュートリノを観察しました。

私からみると、静功は小柴先生の研究室をお腹に作ることと同じです。人間の身体の六～七割は水分です。静功をして、頭のてっぺんから宇宙エネルギーをお腹の下丹田に入れる練習すれば、下丹田が熱くなる感覚があります。

小柴先生は、何かのインタビューの最後に「人間は面白いね」とおっしゃっていました。彼はいろいろな特別な能力のある方に会ったのかもしれません。

現代の科学でも、宇宙エネルギーのこと、ダークマターのこと、ニュートリノのことなど、いろいろ解明が進んでいます。

欧州原子核研究機構(CERN)では、宇宙の秘密を解き明かすため、大きなトンネルみたいなものを作り実験を行っています。しかしまだ、光より速いスピードは出ていません。でも人間は光より速いスピードを出すことができます。

本当に瞬間移動ができる方は、物質を超えて、光より速いスピードで移動することができます。それは人間の素晴らしいところです。そしてそういう素晴らしいことがあるから、いろいろな宗教の存在があるのだと思います。

もちろん宗教、流派はいろいろありますし、神様との関係、宇宙との関係など、表現の仕方は違いますが、宗教の達人たちは特別な能力を持っている方がほとんどです。逆に言うと、彼らは宇宙エネルギーとの関係がわかっているから、宗教の達人になったのだと思います。どの宗教が善い、悪いではなく、私は伝統的な、歴史のある宗教、その知識を信じています。

また、実際に私がお会いした超能力者の方、瞬間移動とか想像できないようなことができる方は、たぶん宇宙エネルギーとの関係ができている方だと思います。

人間と宇宙エネルギーの関係は可能です。修行をすれば、こういうものはどんどんわかってきます。

私自身の経験をお話ししますと、二〇一〇年一〇月一六日、午前一一時一五分、第三の目のところに円い鏡が出てきました。突然、鏡が出てきたわけではありません。最初は真っ白の二つの光でした。それまでも時々、そのような現象はあったのですが、特別な意味を感じず無視していました。ただ、その日は好奇心から甩手をして、呼吸法をしながら二つの光を大きくしていったら、二つの光が合体したのです。そしてそのまま呼吸法を続けていると、呼吸と意識で光はどんどん大きく円くなっていきました。もし第三の目から外に出したら、直径七〇センチぐらいの大きさだったと思います。

その光は太陽光のような明るく強い白光で、質感はちょっと水っぽく、硬さもあり、氷みたいでした。でも眩しい光ではありません。まさに円い鏡のようでしたが、形は真ん丸ではなく、輪郭に円より少し欠けているところがありました。

そして二〇分ぐらいずーっとその状態が続いて、だんだん小さくなって消えました。後でその現象を冷静に考えてみました。日本語で、この円い光の形を表現する言葉があります。「円満」「功徳円満」です。

お寺の中に鏡がありますよね。なぜ鏡があるのでしょう。いろいろな説がありますが、私は人間、修行すれば第三の目に鏡が見えてくるということだと思っています。そういう光は絶対に見えてくる。ただ私は、功徳円満の円満にはまだちょっと足りないということです。努力しないといけませんね。

でも、私が今までやってきた気功法は間違っていない。二〇年かけてやっと結果を見せてくれました。

気功は、人間と宇宙エネルギーの関係をつくる方法です。皆さんも真面目に信じて、でも執着しないで、ゆっくりゆっくり焦らずにやってください。毎日一時間とか二時間とかは難しいかもしれませんが、でもやる時は、純粋に信じてやり続けてください。そうしていると絶対に結果を見せてくれます。

私達の中に神はいます。でも神は私達の中にいます。そういう話はよく聞きますよね。仏教でいう「入我我入」です。宇宙エネルギーが私の身体の中に入ってきて、私も神のところに、空間の中に入っていって、身体の中のエネルギーと宇宙エネルギーがつながり一体となることです。人間の身体の中に不思議なエネルギーがあるから、宇宙エネルギーとつながることができるのです。

ただ自分の中に宇宙エネルギーが欲しい欲しいではなく、自分も宇宙エネルギーをイメージして、分散して、宇宙の中に存在する。その両方の意識を持つことが必要です。そういう意識があれば、誰でも宇宙のエネルギーとつながることができます。

第三章

樹林気功

樹林気功の基本は、人間と木のエネルギーの交流です。

木のパワーは強いですから、人は木の近くに行くと木からエネルギーをもらうことができます。世の中には樹齢何百年、何千年の木がたくさんありますが、人間はそんなに長く生きられません。羨ましいですよね。

また人間の肉体はすぐに病気などになります。でも木は強いですよね。木は人間よりずっとエネルギーが強いのです。なので樹林気功は、木と人間のエネルギーの交流というより、木からエネルギーをもらう方法といえるかもしれません。

多くの方は公園やお寺に行って木を見ても、「ああ、良い木ですね。すごいですね」で終わりです。具体的にどうすれば木と親しい関係をつくれるのか、どうすれば木のエネルギーをもらうことができるのかを知っている方は少ないです。

もちろん、そういう樹林気功の方法を知らなくても、木の近くで本を読んだり、お茶を飲んだり、それだけでも悪いことではありません。

ただ、周りに木がいっぱいある良い環境で、樹林気功や瞑想をして木のエネルギーをもらうことをしていると免疫の強さも違ってきます。自然治癒力も向上します。

中国の新聞に、ある乳ガンの女性が、毎日、木に抱きついたり触ったりしていたら、ガンがなくなり、逆に木の上におっぱいみたいなものが出てきたという記事が出ていました。木が人間の病気を持っていってくれることがあるのですね。それが本当かどうかわかりませんが、私は信じています。

木があるところは違いますね。

一日中家の中にいるのと、一日中樹林の中にいるのとでは、身体の中にもらうエネルギーが違います。ずっと家の中にこもっていると、自分が吐く邪気が、また自分に入ってきます。電車やバスなどでも同じです。特に地下鉄は、周りのほとんどがコンクリートでできています。地方の方が東京に来ると、何もしなくても疲れるといいます。確かに地方では車に乗っていても、窓をちょっと開けると最高の気が入ってきますよね。

毎日は難しいかもしれませんが、まずは一週間に一回ぐらいは、公園など木の多いところに行く。そして、公園のベンチにゆっくり座って、ゆったりと呼吸法をしたりすると、身体の中の汚い気が、気管支や肺から出ていき、ずいぶん体調がよくなります。もし庭に木があればすごくよいですね。

しかし皆さんもそういうことはわかってはいるけれど、実際にそういう生活のリズムをつくろうとする方、時間をかけて木と良い関係をつくろうとする方はあまりいません。でも健康になりたいのでしたら時間をつくり、自然と良い関係をつくることは大切です。

以気接気

木と良い関係になるには、木のエネルギーも自分の気もお互いよく出ていて、お互いの気が接しているという意識を持つことが大切です。

この木と人間の気との関係を「以気接気」と言います。木と人間、生き物と生き物の関係という意味です。木も生き物ですから「以気接気」すると、木のエネルギーが人にまで入ってきます。

この時、不思議なことがあります。もしあなたがその木を嫌いだったら、その木と良い関係はつくれません。もしあなたがその木を好きだったら、木も喜んで、木のエネルギーがガンガンあなたに入ってきます。木は本当に生き物なのです。

中国には机、椅子などには良い木を使う文化があります。そしてそういう良い家具は何十年、何百年と大切に使います。

でも、何が良い木かはわからないですよね。

重い木は良い木です。例えば楢の木で作っている家具はすごく重いですよ。また鉄のような赤っぽい木で作られている家具もすごく重いです。

そういう木で作られた家具はエネルギーが違います。特に寿命の長い重い木から作られている家具はものすごくエネルギーを持っています。だからそういう木のテーブルで一緒に食事をしたり、そういう木の椅子に座ったりしていると、人間の身体に木のエネルギーが入ってきます。

でも、木は切ってしまったでしょう？　死んでしまったのでしょう？

そう思うかもしれませんが、木は切ってしまっても死んでいません。まだ木の中に水分があるではありませんか。水分があるということは、人間の身体と良い波動の関係ができるということです。

もし家の中に良い家具があったら、絶対に粗末に扱わないでください。木の家具は大切にしないといけません。夫婦ゲンカをして、物を投げたりする家に入るとすぐにわかります。環境がめちゃくちゃだからです。一方、平和で安定した家に入ると、こちらもすぐにわかります。自分の身体が平和な雰囲気になるからです。

今の世界は、木の伐採など、いろいろやりすぎています。ただ安いから、といってどんどん家具を作って、どんどん買う。建物も儲かるからとどんどん建てる。経済のことを優先するとあまりよくありません。人間と木の関係があると認識する人が増えてくると、環境のことを大切にする人も増えてくるでしょうし、健康状態もよくなると思います。

陽の木、陰の木

木には、陽の木と陰の木があります。

健康になるために、私には陰の木がよいのか、陽の木がよいのかなどの質問をされることがありますが、そういうことはやや細かい知識ですし、専門的な知識を伝えないといけないので難しいです。まず、あなたの状態が陰か陽か、それとも陰と陽の中間か、自分ではわかるようでわからないですよね。

中国では陰陽を「陰陽、少陽、少陰、太陰、太陽」の五種類、更に九種類に分類します。でも、そこまで詳しくわからなくても、私はだいたい陰かな、陽かな、中間かな、という感じでも、それはそれで問題はないです。

もし陰の体質の方でしたら、陽の木の近くで練習すればいいですね。陽の木は、キリ、トチノキ、モミジなどです。一方、陽の体質の方は、陰の木の近くで練習すればいいです。例えばマツ、スギ、ヒノキなどが陰の木です。

なぜマツが陰で、キリが陽なのでしょう。

それは木の性質との関係です。漢方の世界を学ぶと、陰と陽の世界がわかってきます。だいたい葉っぱが大きい木は陽の木が多いです。逆に針のような葉っぱの木は陰の木が多いです。何千年、何万年もの間、木が進化する過程で自分の命を守るためにそうなったのです。人間でも南の国の人は背が低め、北の国の人は高めの傾向にありますよね。人間、植物、動物、みんな一緒ですから、長い歴史の中で環境に合わせて進化してきたのです。

人間と木の関係については、相当なレベルの交流となると厳しいことがありますが、例えば、自分は陽の木がよいなと思っていたけれど、庭には陰の木しかなかったという場合でも、悪くはならないですよ。ただ、もし公園などに行って、好きな木を選ぶことができるのであれば、陰と陽の木を意識することはおすすめです。

樹林気功の方法

では、具体的に樹林気功の方法についてお話ししましょう。

基本は一本の木からです。

まっすぐな木を選びます。最初は直径が三〇～四〇センチの中くらいの太さの木がおすすめです。あまり太すぎると抱っこすることができません。

また樹齢二〇年でも一〇〇年でもよいのですが、今、元気で成長している木がよいです。

木から少し離れたところに立ち、両手をかざしてみてください。

温かいなぁ、涼しいなぁと感じると思います。敏感な方は、葉っぱの周りや木の幹に、白っぽいものやオーラみたいなものが見えることがあるかもしれません。また、電流のようなビリビリとしたものを感じる方もいるかもしれません。

一方、私は鈍感だから感じないんだ、と思う方もいるかもしれませんが、そんなことはありません。今は敏感ではない方も、時間をかけると敏感になります。木と人間のエネルギーの交流は、敏感な方にも、鈍感な方にも、誰にも確かにあります。それは自然にあるのです。だからやれば誰でも絶対に感じてきます。健康になります。そういう自信を持つことは大切です。

次に、木を両手で包むようにに、抱っこするようにして立ちます。

木によっていろいろな方法がありますが、基本は三円式站桩功です。

両手は、木の幹（胴体）から少し離します。なぜ少し離すのかというと、少し離れたところの方が木のエネルギーが強いからです。

ガスコンロの火も、火力が一番強いところは先端のところです。だから、ヤカンがガスの火の先端に接するようにすると早く水が沸きますよね。木も同じです。木の幹（胴体）から少し離れたところの、一番強いエネルギーをもらうようにします。

そして、温かいかな、涼しいかな、と木の感覚を感じます。この時、木と仲良くなることが大切です。ポイントは、息を吸う時も吐く時も、ずーっと手と木の間の気の感覚を感じ続けることです。

最初はあなた自身、本当にその木のことが好きかどうかわからないと思います。だから初めのうちは、木のところにいっても、木とあなたの間にやや距離があるのです。親近感がないのです。

まず、木に対して仲良しの気持ちを抱くことが大切です。木にお願いするのです。そうして両手で木を抱っこするようにしばらく立っていると、木のエネルギーを感じ始めます。木のエネルギーを感じ始めたら、ゆっくりゆっくり、吸って～、吐いて～と呼吸をします。息を吐く時は、自分の身体の汚い部分、邪気が出ていきます。息を吸う時は、木のエネルギーをもらいます。そうして木と仲良く交流しながら呼吸をします。木と一体となって呼吸ができるようになってきます。

こうして一本の木で体験して交流できるようになってきたら、その後、どんどん、何本、何百本と木が集まっている場所の木の近くで行います。

お寺、神社など人気のある所の木は絶対に良い木です。

木から、葉っぱから、頭からシャワーのようにエネルギーが入ってきて、身体に浸透し、足から地面に邪気が出ていきます。そうした、上からエネルギーが入ってきて下から出ていく循環を続けていくと、身体が健康になります。

樹林気功

樹林気功は、
木と人間のエネルギーの交流する方法です。
木からエネルギーをもらいます。

木の前で三円式站桩功を行う

両手で木を包むようにして立ち、三円式站桩功を行います。手と木の間は一五センチぐらいです。
この時、木の感覚をしっかりと感じながら、吸って〜、吐いて〜と呼吸を繰り返します。木と仲良くなることが大切です。

木と遊ぶ。
木のエネルギーを
感じながら
木と仲良くなることが
大切です。

手と木の間は15センチぐらい。

呼吸に合わせて手と身体を上下に動かす

木と手の間は一五センチくらい離し、呼吸に合わせて、手と身体を上下に動かします。

息を吸いながら、
下から上に手と
身体を動かします。

息を吐きながら、
上から下に
手と身体を
動かします。

呼吸に合わせて手で八の字を描きながら上下に動かす

木と手の間は一五センチくらい離し、呼吸に合わせて、身体の前で横に両手で八の字を描きながら、手と身体を上下に動かす。

息を吸いながら、
手で八の字を
描きながら、
下から上に動かします。

息を吐きながら、
同じく八の字を
描きながら、
上から下に
動かします。

第四章

気功診断・気功治療

気功診断

気功診断では相手の外気を診断（外気診断）します。

外気診断は、中医学の四診（望診、聞診、問診、切診）の望診に近いもので、目で診断する方法と手で診断する方法が代表的です。

目で診断する方法には、外気、オーラを診る望気術（オーラ診断）などがあります。

昔の中国の漢方の先生は外気、オーラを診ることができました。生きている人間の身体の周りには、誰でもオーラがあります。

例えば、寝ている猫と死んでいる猫がいます。少しするとこの猫は死んでるね、寝ているねとわかります。では、生きている猫と死んでいる猫ではどういう違いがあるのでしょうか。生きている猫には外気がありますが、死んでいる猫にはありません。

電車の中を見ても、みんな生きている人間なので、気がむちゃくちゃにぶつかったりしています。でもみんな死んでいると、冷えているし、気という感じが全くありません。

生きているものは身体の内臓、血液、筋肉など、全てから気を出しています。身体の内面の気が強ければ強いほど身体は強くなります。気がなくなると死にます。

手で診断する方法には、患者さんに直接触れることなく、患者さんに手をかざして外気から診断する方法などがあります。中国では名医の手を神掌といいます。神掌は診断も治療もできます。ここでは手で診断する外気診断（神掌）の方法についてお話ししましょう。

外気診断（神掌）

最初に、患者さんの邪気が診断する方に入ってこないようにするための原則と、修行の基本をお伝えします。

診断する時は相手の正面ではなく斜めに立ちます。正面に向き合うと相手の邪気を受ける場合があるからです。

診断する方の手の肘は少し曲げて角度をつくります。これも少し曲げないと相手の邪気が自分の身体まで入りやすいからです。でも曲げすぎると鈍感になります。

相手と自分の手との間は三〇センチぐらいです。ただ、手と相手との距離は診断する方の敏感度によって違います。診断する方が敏感な方だったら、四五センチぐらい離れていても診断できます。

外気診断の修行の基本は三円式站桩功です。

三円式站桩功をすると、手と自分の身体から出る気に敏感になります。強くなります。修行していくと、例えば三六度三分と三六度四分などの、微妙な体温の差もわかるようになります。そして更に修行していくと、相手の体温が三六度三分というようなこともわかるようになります。

では、基本的な診断の方法をお話しします。

診断はまず大きなところを上から下に、ゆっくりゆっくりゆっくり自然呼吸をしながら、手の平をかざして行います。

男性は右手、女性は左手の手の平の労宮のツボで相手の外気を診断します。

一般的に労宮のツボは、数ミリの大きさですが、外気診断では意識で労宮のツボを二〇〜三〇センチぐらいに大きくします。そうすると相手の身体の外気の状態がわかりやすくなります。

相手の外気が温かいか、冷えているか、気の強さはどうかなどは絶対的なものではなく、全て相対的なものです。全体と比べてどうかを診ます。例えば、全体的に三七度五分とか体温が高い場合はあまり問題ありません。しかし身体の外気の温度が、各部バラバラだったり、低すぎるところがあったりすると問題です。

診断していて肝臓、心臓、肺のあたりの温度が低い時は、意識で対象の臓器を大きくします。例えば、ちょっと心臓のところが冷えているかな、不整脈があるかなという時は、意識で相手の心臓を大きくすると、心臓の動脈の問題か、心臓の筋肉の問題か、心臓の神経の問題かなどがわかってきます。冠動脈か心筋か、原因の微妙な違いなども経験を重ねるとわかってきます。

患者さんにはいろいろな症状をもった方がいますが、問題は診断する側がその症状を感じることができるかどうかです。そのためには普段の修行と練習が必要です。

•相手の身体の前を診断します。

頭のてっぺんから足下まで。

百会の辺り、前頭葉から任脈に沿って下がって、胸の真ん中の壇中はどうか。心臓、胃、肝臓はどうか。また下がってお腹、腸はどうか。女性の場合は子宮、卵巣の辺りはどうか。男性の場合は、精巣の辺りはどうか。

•相手の身体の後ろを診断します。

後ろも頭のてっぺんから足下まで。

頸椎、胸椎はどうか。頸椎は、特に風池（ふうち）はどうか。目が強いか弱いかは、風池と関係があります。風池の辺りの頸椎二番、三番のところが曲がっていると、目に問題はなくても目が弱くなります。

下にいって、胸椎は特に五番、六番の辺りはどうか。胃と心臓の辺りはどうか。スピードを落としてゆっくりと温度を診ます。冷えているかな。温かいかな。そういうことが必要です。

更に下にいって、肝臓、腎臓の辺りはどうか。右と左の温度差はどうか。

更に下にいって、仙骨の辺りの温度はどうか。特に後ろの診断では命門（めいもん）を診ます。命門は「命の門」の名の通り、とても大切です。命門の気は、生まれた時に両親からもらった元々の気（元気）で、特に先天的な健康状態、腎臓と関係があります。

命門の辺りが温かい方、火のように燃えている方は元気です。しかし私生活が乱れたりすると、命門がどんどん冷えていきます。病気はまず命門の温度が下がることから始まります。

更に下の方、膝の後ろのツボ、委中（いちゅう）を診断し、後ろの踵まで診ます。

●相手の側面を斜めから診断します。
病気になる前、病気の初期は、身体の斜めの気が弱くなります。弱いというのは、気の温度、相対温度がやや低いのです。

気功治療

次に気功治療についてお話ししましょう。

気功治療には、直接、患者さんの身体に触る方法、触らない方法などいろいろありますが、基本は「内気外放、外気内収」です。まず患者さんの邪気を出さないと、良い気を入れることができません。

気功治療を行うには相当高い「功力」が必要です。

功力とは、気功のレベル、力のことです。「功力が高い」とか、「功力が何もない」とか、そういう形で使われます。

本当に功力があるかを赤外線などで検査するところがあります。功力の高い先生の手からは本当に気が出ています。私も調べましたが、あぁ、やっぱり功力があるんだと思いました。

功力があるとインチキはしません。実際、功力の高い先生に治療してもらうと、一〜三回で治ることもあります。


私の母の話ですが、三〇年以上前、まだ上海にいた頃、母の口の中に、二〜三センチぐらいの黒い変なものができました。病院にいくと悪性の腫瘍と言われ、母はものすごく落ち込んでいました。

ちょうどその年、上海市内の気功協会の何十人かが集まって、無料で気功治療をしてくれる機会がありました。たくさんの上海市民が治療してもらうため長い列に並び、私も母を連れて並びました。

私の母は一指禅の空勁（くうけい）気功の黄仁忠（こうじんちゅう）先生のお弟子さんで、名前も同じ黄という女の先生に診てもらいました。黄先生は、母の口の中の悪性の腫瘍から少し離れた所に、左手の中指と人差し指を平行にし、拳銃で撃つような感じで、一分間ぐらい気を入れました。そして「もう大丈夫よ。帰っていいよ」と言ったのです。

それから二〜三日もしないうちに、腫瘍がぽろっと取れたのです。大きさも重さも五百円玉ぐらいの、茶色っぽい、暗い色の腫瘍でした。その後、母は口の中を手で触っていましたが何も残っていません。治った！治った！と母は喜んでいました。やはりそういうことがあるのですね。

黄先生の一指禅の流派は、直接患部には触らない治療方法です。一指禅の流派は、特に指の力が強いです。私は、黄先生の指から六本の光が出るのを見たことがあります。サボテンのトゲのような、細いレーザー光のような光が出るのです。面白いです。私も站桩していて、自分の指から三本の光が出たことがあります。びっくりしましたね。

黄先生のように、手で身体に触れなくても、治療の効果が出せるという方は本物です。私はこういう気功を信じています。

私の教室にいらっしゃる方の中にも、空勁気功を行っている方がいます。そういう方は、毎日站桩功を二時間ぐらいはやっています。そういうことなのです。もし皆さんもガン治療とかができるぐらいの力が欲しいということでしたら、まずそういう気功法を認めて、毎日継続して訓練することです。

また、私が日本で出会った気功治療の先生は、空いている時は一日七時間も站桩功をしているそうです。尊敬しますね。そういう先生は本物です。実際に彼に治療をしてもらうと身体の中に電流みたいなものが入ってくるのを感じました。

もちろん中には生まれつき特別な能力を持っている方もいるかもしれませんが、私達はそうではありません。だから気功治療をするには相当な訓練が必要です。

以前、私は日本全国に千店舗ぐらいある足裏マッサージの会社で気功を教えたことがあります。新宿の大きなホテルに全国から三〇〇人ぐらい店長さんが集まっていたのですが、

「足裏マッサージをやっていると、夜八時以降、肩、手、腕が重くて痛くなります。なぜですか」

という質問がありました。私からみると皆さん修行が足りていませんでした。

あまり修行をせずに、ただ治療だけをしていると、患者さんの足裏から治療者の先生の手に邪気が入ってくるのです。そして邪気が身体に入り病気になったりもします。なのでその時は店長の皆さんに、邪気が身体に入ってこないように、腕を強くする方法などをお教えしました。

皆さんの中にも、気功治療ができるようになりたいという方は多いと思います。可能は

可能です。でも、それは一時的なことです。根本的なことがわからないと、自分の身体を壊すことになります。気功治療とはそういうものです。

遠隔治療

遠隔治療は、意識で遠い所の人に気を送って治療する方法です。

例えばアメリカに住んでいる患者さんと約束して、夜の八時から九時の間に南の方角を向いてとか、時間と方向を合わせて治療すれば、相手の身体が変わってきます。乳ガンや子宮筋腫が治る。失明した人が見えるようになる。車いすの人が立てるようになる。そういう事例もあります。

皆さんは、先生と患者さんの距離が離れれば離れるほど、先生から送られてくる力が弱くなると思うかもしれませんが、本物の先生にとっては距離、空間は関係ありません。相当な能力がある方にとっては、何キロも何千キロも同じなのです。こういう世界は皆さんが想像している距離とは違うのです。そういう方は意識でものを変えたり、移動したりすることができます。

私はかつて上海市気功科学研究会の会員でした。またWHO衛生教育医学新聞社の『上海大衆衛生報』で七年間、ジャーナリストとして健康法、気功法など、健康分野における全ての記事を担当していましたので、いろいろな不思議な能力を持っている方、本物の方、本物ではない方とたくさん会いました。

そういう世界中の超能力者は、だいたい生まれつきか、突然そういう能力が出てきて、えーっ、びっくりした、という方が多いです。一生懸命勉強して超能力者になったという方はほとんどいません。

また、私が見てきたところでは、こういう超能力を持っている方、瞬間移動ができる方は、三〇〇パーセント以上のパワーを持っています。ただ、こういう方達の多くは、外見からはそういうふうには見えません。気功も同じです。気功も上級以上になると、初級の段階に戻るのです。でも、初級の段階に戻ったように見えても、本当は戻っていません。

陰陽の世界に、

「純陽必ず陰となる。純陰必ず陽となる」

という言葉があります。

陽が溜まって百パーセントになったら、一の陰になります。そして陰が溜まって百パーセントになったら、今度は一の陽になります。

百パーセントになることが大切です。毎日修行して、内気を鍛え、強くなって、熱くなって、汗をびしょびしょにかいて。でもある日突然、汗をかかなくなります。レベル一になるのです。

そしてまた続けて修行します。修行して、修行して、一の部分がどんどん一〇〇になります。一〇〇になると、内面の物質的なパワーがもっと上がります。レベル二になるのです。レベル一とレベル二では、説明は難しいですが、レベルが全く違います。

それはある意味、そろばんみたいな感じです。

そろばんも、そろばんの玉が一つ、二つ、三つと上がって、一つ位が上がると上の位の玉が一つ上がり、後の玉が全て落ちるではありませんか。

また例えば錬鉄。

台所の包丁も、名刀も同じ刀です。

台所の包丁は五〇〇～六〇〇度ぐらいで作ることができますが、古代の名刀などは、二千～三千度必要です。なぜ名刀は二千～三千度必要なのでしょうか。それは鋼の質が違ってくるからです。

気功の世界の時間、空間は、私達の住む三次元の世界の時間、空間と違います。

気功の世界では、一〇年間が二年間ぐらいの感覚ですね。あれっ、もう一〇年も経ったの?という感じです。こういう世界では、身体の中の時間が止まり、新陳代謝が下がるのです。

私が出会った超能力者の方達の手は、皆さん冷たかったですね。

これは、冷たい手がよいとか、熱い手がよいとか、そういうことではありません。レベルが高くなると、温度の世界ではなくなるということです。

温度は三次元の世界のものです。暑い、寒い、痛い、病気なども全て、三次元のものです。でも四次元を超えると、温度は温かいものではなく、別のものになります。四次元の世界の人間になったら、暑いとか、寒いとか、痛みもありません。

気功は「気」から「功」に成ることです。

気のレベルが高くなり「功」に成ると、気功治療とか、遠隔治療とかができるようになります。

握手した時、手が熱い。それはまだ「気」の段階です。

私も時々テストをするのですが、私の手は熱くありません。人と握手しても冷たいと言われます。でも、私の手を相手の背中にぱっと当てると、ものすごい熱さを感じます。常識的に考えると、冷たい手を背中に当てると、冷たいと感じますよね。でも熱いのです。その瞬間、私の手からパッンと出るものがあるのです。

道・徳・仁・義・礼

気功治療は相当、魅力的ですよね。

命と命の関係は全て気の関係です。人間と人間の関係、人間と動物の関係、人間と昆虫の関係、命あるものは全て人間の気とつながっています。だから自分も修行をすれば、そういう気を使って、良いことも悪いこともできます。だから騙されないように気をつけないといけません。

本物は少ないですけれど、偽物はたくさんいます。本物の方が少し新しいことをすると偽物が一〇〇人、二〇〇人と出てきます。こういう世界は本当に気をつけないといけません。

偽物を簡単に見分けるポイントは、お金と性的なことです。もしこの二つに変なことがなければ本物の先生の場合が多いですね。お金も性的なことも欲です。欲が強い方には、本物の能力がある方はほとんどいません。欲が強ければ強いほど能力が下がります。無欲の方、欲が薄い方は修行の道に入りやすいのです。

道教には、「道・徳・仁・義・礼」という順番があります。

最初は礼的なことから入ります。先生との関係、礼儀的なことを大事にしないと将来、絶対にダメです。義は義理堅いの義。人間は基本的にイエスかノーかの判断が必要です。

言う時は言うことが必要です。仁は他を思いやり慈しむ心です。良い人間になります。あとは道と徳。徳の方が先です。徳を積まないと、道という、不思議な能力、超能力とか、特別な力などを持つことはできません。嘘つきだったら、絶対に徳はありません。

徳があると、例えば教室を開くと人が集まります。人を治療しても変な金額でなければ、それは徳です。可哀想な人を助けてあげること、それも徳です。そういう徳がたくさん集まったら、最後は道（タオ）、最高レベルです。

陰と陽、宇宙と人間の間に関係が出てくる道（タオ）の世界には、やはり徳が大切です。もし自分には特別な能力がないのかなぁ、と思ったら、徳のことを考えてみてください。あなたにはどれだけ徳が溜まっていますか？　徳が足りないと時間がかかります。あるいは年を取って亡くなる前になっても、まだ道（タオ）までわからない。それは自分に徳が足りないということですよね。徳が溜まると、道（タオ）の世界、気功の「功」の世界に絶対にいけます。

道（タオ）は気功の「功」の段階です。「気」をいっぱい練習して、徳をたくさん積んで「功」に成る。「功」に成ると特別な能力が出てきます。自分が想像できないことが出てきます。

そして、道（タオ）の世界に至る段階は、「道・徳・仁・義・礼」の順番です。気功に興味があり、特別な能力が欲しいのでしたら、絶対にこういう順番しかありません。

第五章

民間気功

民間気功とは、何千年もの人類の歴史の中で自然に伝えられてきたもの、生活の中における気の関係の健康法です。

私はこういう民間気功は、人類の生き方の智慧、今までの日常生活の命の智慧だと思っています。理屈はよくわからないけど、でもやるとすごく気持ちいい。だからお互いそういう方法を教える。そうするとみんなすごく健康になる。

民間気功はたくさんありますが、まずはここに紹介したものをすれば、皆さんの健康を助けてくれると思います。ただ、全てをする必要はありません。自分に合っているもの、気持ちがいいなという方法をやればいいです。

01 太陽のエネルギーを背中から身体に入れる民間気功

昼の二時〜四時の間の二時間。背中を太陽の方を向けて太陽を浴びると、背骨全体が温かくなり健康になります。椅子に座ってでもいいし、立ってでもいいです。いろいろな病気は背骨と関係があるので、背中に二時〜四時の太陽のエネルギーをもらうことは、人間にとってとても大切なことです。

⓪②太陽のエネルギーを口から身体に入れる民間気功

太陽に対して正面を向き、口を大きく開けます。その時、口の中に入ってくる太陽の温かいエネルギーを水のように飲みます。お腹まで飲み込みます。

こういうことを信じている方は、太陽のエネルギーが身体に入ってきます。でも信じていない方だと、本当にそういうことができるの？と言いますね。

私もやってみて、太陽の陽のエネルギーがお腹まで入ってくるのを感じました。

⓪③お風呂の中で行う民間気功

半身浴でも、首まで浸かってでもよいのですが、お湯の中で下丹田を意識し、腹式呼吸をします。すると下丹田にエネルギーが集まってきて身体が温まります。

サウナに入って、汗をたっぷりとかくと身体が温まると思っている方が多いのですが、冷え性の方はまた冷え性に戻ってしまいます。私の考えでは、呼吸と意識がないからだと思います。

お風呂の中で腹式呼吸をすると、冷え性の方も身体が温まるようになります。

04 水やお湯を飲む時の民間気功

水やお湯を飲むと良いことがあるとすすめる方がいます。

この時、大切なことは飲む意識です。

通常は、ごくごくと飲んで、はいおしまい、という感じです。それはちょっともったいないですね。一口一口、喉からゆっくりと、気管支を通っていくことを意識しながら飲むことが大切です。そうして意識して飲むと、任脈が温まり良い循環になります。

05 後ろ向きに歩く民間気功

これは日常生活で皆さんができることですね。

皆さんは普段、前向きに歩いています。でも後ろ向きに歩きます。これは倒歩法といいます。いつもとは逆に身体を動かすことで、全身の気の流れをよくします。

06 真っ黒のもので身体全体を包む民間気功

ものすごく疲れた時とか、気力もなく病気になりそうな時、真っ黒の毛布か布を頭からすっぽりとかけて身体全体を包み、外と遮断します。その中で、両手の人差し指を耳の中に入れます。

これは宇宙のエネルギーがすごく入りやすい方法です。

ユダヤ人の方は健康法として行っています。

⑦眼精疲労のための民間気功

第三の目のところに、ピンポン玉みたいな光をイメージします。最初はイメージしても何もない、真っ黒だなぁと思うかもしれません。でもやり続けていると、薄い雲のようなピンポン玉みたいな光が出てきます。これが眼精疲労によいのです。

他にも、両手を擦り、両手を目のところに当てる方法があります。ただし両手は目につけず少し離します。両手からの光、温かな気が出て目に入り、疲れを癒します。

⑧両手、両足を叩く民間気功

両手を、力を入れて叩きます。

両足も、力を入れてパタパタ地面を叩きます。

そうすると、手の平の心臓系の関係、足の裏の腎臓系の関係が開きます。

また、手の平の労宮のところを意識して、足の裏の湧泉(ゆうせん)のところを叩きます。右手で左足の裏を、左手で右足の裏をパツパツ叩きます。そうすると足の裏と手の平に気の道が出てきます。

私の中国の知り合いで、九〇歳を超えていらっしゃる方達は皆さんやっていますね。

⑨ ぶら下がる民間気功

何かぶら下がれるものに両手で掴まってぶら下がります。

背骨を伸ばし、右、左とぐるぐる回します。そうしてぶら下がって背骨を伸ばすと、循環がよくなります。

⑩ お腹をマッサージする民間気功

手は収功の時と同じ形にして、両手でお腹のおへそ辺りをマッサージします。

男性は右に回します。女性は左に回します。

ぐるー、ぐるーと、一秒に一回ぐらいのスピードで、ゆっくりゆっくり回します。

私の知っている女性は、毎晩寝る前に九九回すると九九歳まで長生きできると信じてやっています。内緒で長生きする方法です。

⑪ 任脈をマッサージする民間気功

手は収功の時と同じ形にして、胸骨の一番下のところから恥骨まで、上から下にゆっくりとマッサージします。上から下への片道です。

任脈はすごく大事です。胸骨の下から恥骨のところまで、ほーほーほーと降ろします。数は三〜四回で大丈夫です。

寝る前にすると、食べたものが消化され、一日の疲れがなくなります。

⑫ 腎臓を養う民間気功

両手を腰の腎臓のところに当てて歩きます。腎臓の辺りがすごく温かくなります。

⑬ 髪の毛を養う民間気功

両手で自分の髪の毛を、力を入れてひっぱります。そうすると頭皮を開くことができます。また自分の頭のてっぺんを叩く方法もあります。

第六章

Q&A

Q01

気功の知識が全くありませんが、気功をすることは可能ですか。

A 気功をすることは可能です。

気功をすることは可能ですが、問題はどこまで、ということです。気を感じて、元気になって、ということであれば可能です。一方、気功師になるとか、遠隔治療をしたいとか、そういうのはちょっと違います。気功をすることと、気功師になる、気功の特別な能力を持つようになる、ということは別です。

気功に興味があって、そういう特別な能力が欲しい、遠隔治療ができるようになりたいと思うのは悪いことではありませんが、それは一ヶ月とかでできることではありません。相当な時間がかかります。でも良いものは時間がかかるものですね。

Q02 いろいろな気功の先生について学んでも大丈夫ですか？

A いろいろな先生について学んでも構いません。

中国には約三千種類の気功の流派があります。もし一人の先生しかだめ、ということだったら、そんなにも多くの流派が存在していないですよね。A先生とB先生では気の取り方、修行の仕方が違います。でも、最初は一つの流派で勉強することが大切です。勉強して気のことがわかってくれば、いろいろな流派のことがわかるようになります。

カンフーのチャンピオンでも、一つの流派だけという方はいません。基本的には一つの流派ですが、他の流派の練習もします。他の流派も練習しないと上手くならないからです。

書道も同じです。基本的な基礎は必要です。でも一つの流派が上手くなったら、他の流派の修行も行います。他の流派も練習しないとレベルアップをすることが難しいからです。

日本語でいう「壁を破る」です。

Q 03

気功で難病が治りますか？

A

患者さんの状態、先生の能力によって結果が違うため、治るか治らないかは一概には言えません。

難病が治るには、まず診断が百パーセント正しいか、正しくないかという診断の問題があります。次に自分で治すことができるのか、あるいは気功の先生に治してもらうのかという手段の問題があります。そして気功の先生に治してもらうとして、本当に治療をする能力を持っている先生がいるのか、いないのかという先生の能力の問題があります。

ただ、事例として半身不随の方が治ったというものはあります。そういう能力を持っている先生もそれほど多くはありませんがいます。でもそういう本物の先生でも、一日に何十人も治療をするのか、一日一〇人だけするのか、たまに治療をするだけなのかで違ってきます。先生にパワーがあり、たまに治療をするだけの方だったら、ものすごく効果が出ることがあります。また、先生に治してもらうのと、自分で気功をして自分で治療をするのとでは違います。自分で気功をして身体の調子がよくなった、持病が治ったという方もたくさんいます。気功の世界は、やれば身体がよくなります。難病があってもどんどんよくなります。ただ気功は基本的には予防医学です。

Q04

遠隔治療はできますか？

A できます。

遠隔治療とは、良い気、意識のことです。気功は動作と呼吸と意識を一緒に行います。つまり意識も重要な要素です。站桩功、静功（瞑想法）を長い時間、相当やっている方は念力、定力を持っていますので、意識すると相当の気が動きます。例えば、アメリカの方と約束して、夜の八時から九時の間に向こうの方は静かに座って待っている、日本の先生が気を送り治療をしてあげる、ということは可能です。でも、先生が本物かどうかが問題です。あと遠隔治療を一度に何十人も行う、ということは、私は信じてはいるけど、ちょっと疑問はありますね。

Q 05

気功には相性がありますか。

A 気功には相性があります。

気功の先生にも仏教の流派、武術の流派、道家の流派など、たくさんの流派の方々がいます。それぞれの流派でみんな違います。仏教気功でしたら意識はほとんど重視しません。一方、道家の気功は意識を重視します。もし自分が仏教気功だったら、仏教気功を教えている先生がよいと思います。ただ先生を選ぶ際は、自分が好きな先生を選ぶのがよいです。会うと元気になるとか、自分の内面が楽しくなるという先生は、あなたにとって良い先生です。

最初はわからないかもしれませんが、やってみて、あっ、この先生は合わないなと思ったら、やめた方がよいと思います。一〇人の先生がいたら、一〇人の相性があります。無理はしない方がよいです。

Q06

お酒、タバコ、男女関係はやめた方がよいのですか。

A

初心者の方には、しばらくの間はこの三つはおすすめしません。

初心者の方は、最初の三ヶ月、一〇〇日ぐらいはやめた方がよいです。どうしてかというと、これらの三つは人間にとってとても楽しいことだからです。命の快感になりやすいです。気功をする、ということは、命の快感が変わらないといけないのです。気功をすると楽しくなる。酒、タバコ、男女関係が必要ない、とならないといけません。いつもやっているこの三つをやめないと、気功の快感がなかなかわからないのです。だから初心者の方は、これら三つは最初はやめた方がよいですね。中国ではこの三つを三禁といいます。これら三禁は、三ヶ月以降だったらしても構いません。

ただ気功の観点からみると、これら三つのことは悪いことではないです。つまりやり方です。

例えば、お酒でいうと、陰のお酒、陽のお酒があります。陽の足りない方は、陽のお酒を飲んだ方がよいし、陰の足りない方は、陰のお酒を飲んだ方がよいです。気功文化は「禁欲」ではなく「節欲」です。

Q07

気功は一人でした方がよいのか、皆と一緒にした方がよいのか、どちらですか。

A 一概にどちらがよいとは言えません。

教室で皆と一緒にするのは楽しいですよね。いろいろな方がいて、音楽もかかっていて、そういう雰囲気がよいなという方もいますね。一方で、一人で静かに音楽もなく、内面のことがゆっくりわかるように、気の世界に入ることがよいという方もいますね。どちらがよいとは言えません。

ただ初心者の方が一人ですることはおすすめしません。

人間の行動において「真似をする」ということはとても大切なことです。例えば太極拳がわからない方は、まずは太極拳のグループに入り、周りの真似をしながら、徐々にあぁこれが太極拳かとわかっていきますよね。気功も同じです。皆と一緒に呼吸法をゆっくりすると、気功はそういうものかとわかってきます。また気と気の関係があります。気が出ていない方はいません。皆、隣の方と、外気と外気の交流をしているのです。例えば、血圧の高い方と低い方が一緒にいると、ちょうどバランスが取れるようになります。また女性と男性が一緒にいると、陰陽効果が出てきます。それはよいことです。一人だと静かですが、エネルギーに関してはある面寂しいです。ただ上手になってきたら一人でした方が、もう少し深い道に入ることができるかもしれませんね。

Q08

自発動功を教室でやってみて少しわかってきたので、自宅で一人で自発動功をしてもよいですか。

A

初心者の方が一人で自発動功をすることはおすすめしません。

自発動功などの動功は、身体は動きますが、内面は動きません。一方、静功は、身体は動きませんが、内面が動きます。気功の修行には、動功、静功、両方とも必要です。

自発動功は、身体は動いていますが、第三の目は動きません。そこが大切なところです。そういう動かない第三の目にパワーを集めるのが自発動功です。特に初心者の方はそこまでの意識がわかっていないので、一人ですることはおすすめしません。個人の性格、個人差によって、どんどん自発動の世界に入っていき、現実の世界に戻りたくなくなる方がいるのです。もちろん、そういうことは偏差です。でも自発動功を一人でやると、偏差になる方が多くいるのです。

教室に何回か来て、いろいろな動功や静功もやって、収功もできるようになれば一人でやっても大丈夫です。

Q09 気功法は立って動作をするものが多くありますが、寝たままでもできますか。

A できます。座ったままの気功法もベッドに寝たままの気功法もあります。

寝ながら気功のビデオを見ていて、どんどん元気になられた方もいらっしゃいます。また下半身不随の方がビデオを見ながら気功をやり続けた結果、どんどん足の調子がよくなったという事例も見ました。足が動かなくても、意識、呼吸はできます。ただ動作ができないだけです。だから下半身の動作はできないけれど、ビデオを見ながら、意識、呼吸をずっと続けていたら、全体的に気の流れがよくなって、下半身がよくなったのです。こういう奇跡もあります。

Q10

気功を行う際、適した方角などはありますか。

A

一般的な方角は南向きです。その際、背中が北向きです。

やや専門的な知識をお伝えしますと、朝から正午一二時までは東北向き、それ以降、夜は西南向きです。これは中国天文学の知識です。地球の中を流れるエネルギーの知識です。そのエネルギーの流れに合わせると、身体の中にもエネルギーが流れやすくなるのです。

また、陰陽五行、五臓六腑の知識もあります。

血管、心臓が弱い方は、南向きです。

肺、気管支が弱い方は、西向きです。

肝臓、胆嚢が弱い方は、東向きです。

腎臓、膀胱系が弱い方は、北向きです。

胃腸の弱い方は真ん中です。でも真ん中は難しいですよね。真ん中とは、部屋の真ん中、部屋の隅ではなく、部屋の真ん中がよいです。

Q11 気功をするのに良い時間はありますか。

A 朝の三時〜昼の一二時までが良い時間です。また二三時〜深夜一時も良い時間です。

身体の中の、気、穴、経絡の流れと時間は関係があります。

会陰が開く時間は、二三時から深夜一時です。「子、丑、寅、……」の「子時」です。「子時」は地球が夜から昼へと入れ替わる、日付が変わる時間です。地球のエネルギーは二三時から変わります。そして身体の経絡時計の始まりは会陰からです。会陰は丹田の口で大切な部分です。

この二三時から深夜一時はとても重要な時間帯です。二三時はオリンピックでいう点火の時です。人間も二三時に点火されます。点火される部分は会陰です。この点火の、会陰が温かい時、温かい感覚がわかりやすいです。

朝は「生」、生きている時間なので、気功を行うには良い時間帯です。

厳しい気功理論によると、昼の一二時以降は死んでいる時間です。現代だと電磁波とか交通量も激しくなって、どんどん大気も汚染されていく時間です。ただ、死の時間というものに怖いイメージを持たないでください。少し厳しい修行の話です。一般的には午後は何か汚いものが出てくるという話です。

昔の修行者は、朝三時から行っていました。次の時間は五時から、次は七時から、次は九時からです。一般的に一〇時以降はあまりやらないですね。

本当に毎日一時間とか二時間とか行うのであれば、これらの時間はおすすめです。でも毎日ではなく、たまに行うだけであれば、良い時間を探す必要を私は感じません。初心者の方も、最初は時間のことを厳しく考えなくてもよいです。身体の感じがどんどん出てきた段階で時間のことを考え始めればよいです。

（参考）十二経絡のサイクル

十二の経絡は、それぞれつながっていて、それぞれの経絡の働きが自然のサイクルに従って、活発になる時間帯がある。各経絡とつながる臓器、経絡上のツボはその経絡の働きが活発になる時間に治療するのが一番効果的。

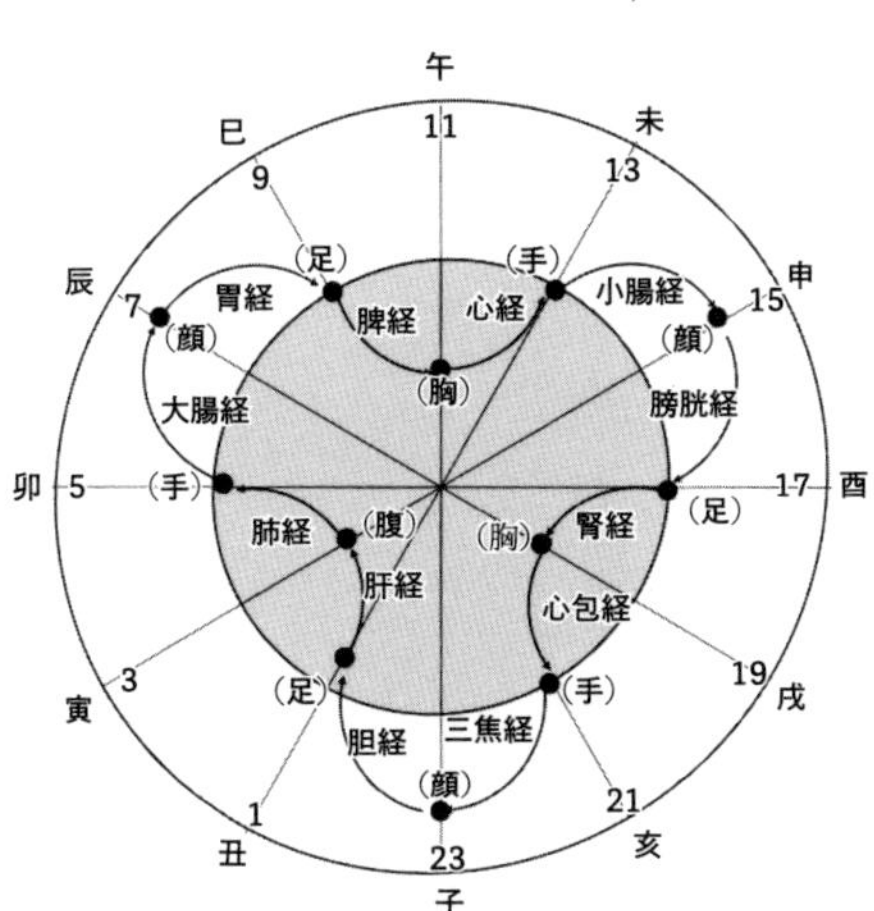

Q12

雨の日、雪の日、雷の日にも
気功をした方がよいですか。

A

初心者の方が雨の日、雪の日、雷の日に
内面の気の練習をすることには、少し心配があります。
天気が良い日にする方がよいです。

雷の日は電磁波がありますから、すごく深い瞑想法とか、站桩功をすると身体がびっくりしますのであまりおすすめしません。ただし気功のレベルが高くなってくると、雨とか、雪とか、雷とかはあまり関係はありません。気功のレベルの高い方は「地球文化」の関係だけではなく、「太陽系文化」「銀河系文化」とつながります。宗教の話をすると、地球は「阿羅漢」、太陽系は「太陽系菩薩」、銀河系は「大日如来」です。距離によって物理的原理も違ってきます。

Q13

電車の中でも
気功の練習ができますか？

A
人の多いところと、人が少ないところでは
練習の目的が違います。

気、エネルギーの練習は、人が多いところではだめです。逆に芯、意識をしっかりする練習は、人が多いところでした方がよいです。

ただ、満員電車は、他の人の邪気とか病気とか、悪い意識が混じっているので、ぼーっとすることはおすすめしません。意識をしっかりして、本を読んだりすることをおすすめします。

Q14

気功に適した良い場所、適していない悪い場所はありますか。

A

良い場所はたくさんあります。芝生、海の近く、公園など広くてきれいな場所はだいたい良い場所です。

一般的には火葬場とか墓場とかは怖い、悪い場所というイメージがあるかもしれませんが、気功には良い場所です。気功のレベルが高い方は、墓場で修行することも必要です。なぜなら墓場は陰のパワーが強いからです。陰と陽のどちらがよく、どちらが悪いとは言えません。

ただ、ガン病棟、精神科病棟などはパワーが強すぎます。また高いタワー、電波塔などはおすすめしません。高層マンションに住むことも、あまりおすすめしません。そういうところはプラスの電磁場が強すぎるのです。人間というものは、マイナスの電磁場にいた方がよいのです。

Q15

気功の前後、どのくらいで食事をとればよいですか。

A

気功をする二〇～三〇分前までに食事を済ませた方がよいです。

終わった後も二〇～三〇分待った後に食事をした方がよいです。なぜなら腹式呼吸、横隔膜の運動、胃袋と関係があるからです。

Q16

気功をする前にトイレを済ませた方がよいですか。

A

小の方は済ませた方がよいです。

ちなみに、おしっこをする時は、頭の上に緑色のオーラを意識してした方がよいです。冬、おしっこをすると寒い感じがするでしょう。それはエネルギーが出ていくからです。でも頭の上に緑色のオーラ、エネルギーを意識すると、半分ぐらいしかエネルギーは出ていきません。

Q17 気功をする時、靴はどうしたらよいですか。

A 靴の底が薄い方がよいです。スニーカーとか靴底がゴムのもの、厚いものはおすすめしません。足袋とか、素足とかがよいです。

邪気が足裏から土に出ていく時、靴底がゴムだと、足裏の邪気が出にくいのです。ゴムで絶縁されてしまうのです。

子供の頃、足が臭かったという経験がありますよね。でも年を取ったら足が臭いということはあまりありません。年を取って足裏の邪気が出にくくなったからです。靴の場合は、歩きやすい靴で、靴底が皮製のものがおすすめです。

また女性の方は、高いヒールの靴はおすすめしません。身体と重力の関係が変わってきてしまうからです。靴底が薄い靴だと、全体的に重力がかかります。そのような靴を履いて気功を行うと、足裏の邪気が出やすいのです。

Q18

気功を練習している時、貴金属、ブレスレット、指輪、ネックレスなどを付けたままでもよいですか。

A

一般的には付けたままでよいです。ただ真面目に気功の練習をしたい方は外した方がよいです。

身体に何かを付けていると、付けている、という意識があるのです。またものによってはとても重いネックレスもあります。でも結婚指輪など、もう何十年間もしているものは、付けたままでよいですよ。

洋服はシャツとかジーパンとか身体にきついものはおすすめしません。緩めの洋服、作務衣とかがおすすめです。本当は裸で気功ができれば最高ですよね。

Q19

太極拳と気功は何が違うのですか。

A 太極拳は武術の中の種類の一つです。戦うためのものです。気功は戦うためのものではありません。太極拳と気功は全く違うものです。

「何々拳」ということは武術です。ただ武術の訓練の一つとしての気功はあります。

武術が上手くなりたい方が気功を行えば「武術＋気功＝カンフー」になります。皆さんはカンフーと武術の違いをあまりよく理解していません。同じものだと思っている方が多いのです。「武術＋気功＝カンフー」で、もし武術だけだったらカンフーとはいえません。太極拳は武術です。もちろん太極拳と気功はつながるものはあります。太極拳をやりながら、気功をやっている方もいます。また気功の動作にも太極拳の動作が出てきたりもします。

Q20 気功と宗教は関係がありますか。

A 宗教の中に気功のものがあります。気功の中に宗教があるわけではありません。

気功における定まる力、神様とつながる力などは、基本的に宗教のものです。もちろん気功は気功で宗教とは違います。定まる力においても気功のやり方があります。ただ、やり方は違いますが、つながっている部分はあります。

ある気功の言葉に「気功は無宗教の宗教です」というものがあります。

見えない力、見えないモノを信じるところ、毎日やるところなど宗教と似ています。

宗教の中の気功の部分は相当レベルが高いです。神様との関係、四次元の関係です。

気功で最初から四次元の関係の話をすると、初心者の方には難しいです。でもどんどん気功の道に入って、そういうものがなんとなくわかってくる。それもよいですよね。

Q21

霊気（れいき）と気功は関係がありますか。

A

関係があります。

気功のレベルが高くなると、霊的なものとの関係になります。

霊的なものの説明は難しいのですが、気、エネルギーのレベルが一番高いのが霊です。霊は宇宙と全体的に、人類と全体的につながっています。

霊というものには、いろいろな流派があります。

人間の「精・気・神」の神、「戒（かい）・定（じょう）・慧（え）」の慧、「体・魂・霊」の霊は全て同じレベルの話ではないかと思います。

おわりに

この本を書いている現在、新型コロナ感染症は完全には終息していません。

私は、長い人類の歴史の中でコロナのような病気はあったと思っています。もちろん名前はコロナではありません。でも人類は何度もそのような経験をし、それらに打ち勝ち、今、生きているのです。確かに現代人は、身体の内面の力、免疫力、自然治癒力をあまり鍛えていませんが、私達は昔の人達の元の力を受け継いでいます。気功法には、コロナのような病気に対する人類の智慧が数多くあります。特に、站桩功、静功などは、身体の内面を熱くし免疫力を強くします。

気功についてもっとお伝えし、できれば皆さんも自宅で、庭で、近くの公園で気功をして、より健康になっていただきたい。そう思っています。

もちろん、気功をするとコロナにかからないとか、そういう簡単な話ではありません。でもコロナの中、気功をしている一〇〇人のグループと、気功をしていない一〇〇人のグループを比べると、結果はちょっと違うと思います。

昔、ある宗教の達人が言いました。

「伝染病が流行っている時は、そういう患者さんがたくさんいるところには行かないでください」

これは誰にでもわかる話です。でも彼はもう一つ言いました。

「でも流行している時、人が集まっているところ、流行しているところに全く行かないのもだめです」

今考えると、彼は免疫力のことを話していたのではないかなと思います。私たちは他の方から免疫力をもらうのです。昔の方、宗教の達人などは、そういう生き方の智慧を持っているのです。そういう達人の智慧が、現代の私達にとっても良いことであればやる。それだけです。簡単な考えですね。

それが今、この時期にこの本を書いたもう一つの目的です。


最後に私のことについて少しお話ししますと、私は五歳の時、祖父と祖母と半年ぐらい田舎で一緒に過ごしました。そして小さい時から、祖父の少林拳のカンフーを見て育ちました。一二歳から本格的に気功を学び始め、二〇代から三〇代にかけて、中国上海市精神衛生センター（旧普慈療養院）で精神科医として働いていた一六年間、心意六合拳(しんいろくごうけん)、攔手拳(らんしゅけん)、硬気功(こうきこう)、鉄布衫功(てっぷざんこう)などの武術、カンフーをしっかり学ぶことができました。孫式太極拳、形意拳(けいいけん)、八卦掌(はっけしょう)の名手として有名な孫祿堂(そんろくどう)先生は、中国の国民党、南京総統府、国技館、国技の武術の先生でした。孫祿堂先生の弟子の陸継業先生が同じ病院に働いていたので、私は彼から五行の連環を学びました。陸先生からは孫禄堂の娘の孫剣雲さんのことも話してもらいました。また、武術、太極拳、攔手拳で上海で最も有名な先生、秦仲寶先生、範剣平先生からも学びました。

私は三十六歳の時、精神科医を辞めて、WHO衛生教育医学新聞社の『上海大衆衛生法』に移りました。この時期、気功の全体的な理論、書道気功、鶴気功を、八分間気功（八分鐘功法）で有名な司徒傑先生に教えていただきました。司徒傑先生は、書道気功の二代目の伝人で、私は三代目の伝人です。鶴気功は、司徒傑先生と毎日四時間ずつ、三ヶ月間練習し続け、ようやく理解することができました。私が気功の難しい呼吸のことを理解したのは鶴気功からです。

八三年に上海市気功科学研究会に入り、八四年に三千人の人が見守る中、上海市の体育館で錚々たる気功の流派の方々と共に、書道気功「神筆功」を披露しました。

八七年に日本の医療関係者の招きで、書道気功実演のため来日しました。その後、日本人の妻と知り合い結婚しました。以後三五年間、日本で気功を教え続けています。お世話になった日本の皆さんには、今でもとても感謝しています。

私は日本に帰化して日本人となり、日本人の生き方や考え方に触れてきました。

日本人は気功についてよく考えていて、理解がしっかりしています。私の周りには気功が好きな方が多いですね。

気功は中国の大切な健康文化の一つです。その文化を日本人が引き継ぎ、尊敬してくれるということは、中国人にとっても嬉しいことです。

私自身、ＷＨＯ衛生教育医学新聞社の記者として、中国全土にいらっしゃる不思議な能力を持つ方々を取材する機会があり、実際に多くの方々とお会いし、その能力を見せてもらいました。その後、日本に来てからも様々な方と出会い、勉強したことで、中国にいた頃よりいろいろなことがわかってきました。そうしてひとつひとつ学んできたものを、お世話になった多くの日本の方々に感謝の気持ちを込めてお伝えしたいと思います。

気功を通じ、皆さんの人生が健康で豊かになることを祈っています。

二〇二三年四月

中国上海気功老師
中国秘伝気功塾主人
『気功奥義 解説書』著者
盛鶴延　拝

編集後記

二〇一八年、弊社より盛鶴延先生の『気功革命 秘伝奥義 集大成（以下『奥義』）』を出版させていただきました。本書『気功奥義 解説書』は、それに続く二冊目の本となります。

盛先生との出会いは、私自身の人生を変えました。

今から一七年前。友人と訪れた新潟県ランプの宿、駒の湯山荘で、偶然盛先生と出会いました。当時、駒の湯山荘の女将をしていた桜井真知子さん（福建医科大学日本校気功専科卒業生）が主催した気功のワークショップの講師として来ていらしたのです。

駒の湯山荘の入り口には小さな囲炉裏があり、鉄瓶で薬湯茶が湧かされていて、いつでも自由に飲むことができます。お風呂上りに何げなく立ち寄った囲炉裏に、盛先生が座っていらっしゃいました。

私はそれまで気功について何も知らず、もちろん目の前の盛先生のことも知りません。最初は友人と他愛もない話をしていたのですが、いつしか盛先生や囲炉裏に座っていた他の方々とも話すようになり、誰かが、盛先生が気功の先生であることを教えてくれたことをきっかけに、私は盛先生に質問をしはじめました。

「気功って何ですか？」

「瞑想って何ですか？」

「時間とは何ですか？　時空とは何ですか？」

たまたま囲炉裏でご一緒しただけの先生に対して、今から思い返してもかなり失礼な質問ばかりだと思うのですが、あの時は自分でも不思議なぐらい質問が湧き出てきたのです。しかも、そんな私の不躾な質問に、盛先生はひとつひとつ真正面からしっかりとお答えくださったのです。

とても驚きました。今までこのような自分の疑問に対して、ここまでまっすぐ物事の理から簡潔明瞭にお答えしてくださった方がいなかったからです。

今でもその内容は覚えています。しかしその内容はとても深く、今もその意味を考え続けています。当然、当時は今以上に理解ができなかったわけですが、とても大切なことを教えて下さったことはわかりました。

それから盛先生が主催されている秘伝気功塾（自由が丘教室）に通いはじめました。

気功を習っていると言うと、どのような効果や変化があるのかとよく聞かれます。

しかし、これはなかなか答えにくい質問です。確実に何かが大きく変わっているのですが、それを言葉にするのが難しいからです。

でも、自分のことはわからなくても教室に通う他の方の変化はわかります。透明感が増し、明るく柔らかい雰囲気になっていくのです。ただ、本人はその変化に自分では気づいていない場合が多いようです。

私自身、気功を始めて最も大きな変化は、出版社を創業したことです。『奥義』も本書も、盛先生の録音を書き起こす形で制作しました。『奥義』を制作する時、私は会社に勤めていましたので、最初は書き起こしのお手伝いだけをさせていただくつもりでした。ただ、帰宅後、書き起こしをしていると、私達日本人に対して気功文化の真髄を語り伝えようとされる盛先生の想いが、その録音からひしひしと伝わってくるのです。それは言葉通り、命を懸けて大切なことを伝えようとされていました。そしてその気迫はとても他の仕事をしながらできるような重さではありませんでした。

そこで私は二七年間勤めていた会社を辞め、書き起こしに専念することにしました。勤めていた会社に不満があったわけではありませんが、盛先生の本の重さと比較できるものではなかったからです。それにもし『奥義』をきちんとした形で世の中に出さなかったら、私は一生後悔すると思ったからです。

ただ当初は自分で出版社を立ち上げるつもりはなく、どこか他の出版社から出してもらうつもりでいました。ロングセラー『気功革命』の著者の集大成ですから、ご相談に伺った出版社はどこも好意的で、実際、具体的な打ち合わせにまで進んだのです。

でも、何かが違う気がしました。盛先生が命を削って伝えられようとしている本の重さと、一か月に何十冊と出版される中の一冊という軽さに違和感を覚えたのです。

そのことを率直に盛先生にご相談したところ、

「君が出版社を創ればよいのでは？」

と言われたのです。

それから今年で六年目を迎えます。

無事『奥義』を出版し、この度『気功奥義 解説書』も出版させていただけることを心から嬉しく思っています。

『奥義』を書き起こしている時は、鳥肌が立ちました。そしてこの『気功奥義 解説書』を書き起こしている時は、涙が出ました。これから気功を始めようとされる方達に対する盛先生の温かな想いが伝わってきたからです。その盛先生の温かさ、優しさをそのまま届けられたら。そう思いながら書き起こし、出版させていただきました。ひとりでも多くの方に本書が届き、健康で幸せな毎日の一助となりますことを心から願っています。

二〇二三年四月

『気功奥義 解説書』編集・書き起こし

田口京子　拝

著者

盛鶴延（せい かくえん）

1945年、中国・上海市出身。

5歳の頃より少林カンフーを行っていた祖父の影響で気功に親しみ、12歳の頃より本格的に気功を学び始める。太極拳、心意六合拳、少林拳を学び、硬気功（鉄布衫功）を修める。同時に軟気功の修練も重ねる。上海市衛生学校医士班卒業後、上海市精神衛生センター（旧普慈療養院）で精神科医（西洋医学）として16年間勤務する。医師在職中に、上海第一医学院華山医院脳内科と上海市華東師範大学心理系にて研修する。また、在職中も気功の修練を続ける。

1980年よりWHO衛生教育医学新聞社にて『上海大衆衛生報』の編集委員・記者として7年間勤務。その時、中国各地の気功名人を取材、流派を超越した気功を学ぶ。その名人は、蘇根生（八宝金剛気功の達人）、林泉宝（返還功伝人蔵文義の師兄）、陸継業（孫式太極拳、形意拳達人、孫祿堂の弟子）、秦仲寶（ 手拳、侠客拳達人傳再仙の弟子）、黄仁忠（一指禅達人闕阿水の弟子）、張桂生（司徒傑）（韋駄気功伝人、上海八分間気功〈八分鐘功法〉達人）、梁上元（伝説・盧嵩の末弟子）、羅錫基（一指禅名人）、徐華（密宗功法達人）、王桃雲（杜月笙のSP）、張金発（佛家気功名人）、姜立中（佛家功達人）、全関良（佛家大手印達人）、潘学固（書道家、書道気功達人）、李蓮華（中国香功の上海代表）、呉新発（丹田運転功達人）他多数に及ぶ。修練を通して佛家・八宝金剛気功、佛家・神筆功（判官筆功法）、武家・鉄布衫功、武家・返還功、佛家・韋駄気功、明目功、佛家・香功、道家・龍門派周天功ほかを修める。1983年に上海市気功科学研究会に入会。

気功師として注目を浴びるようになったのは1984 年、上海市体育館に3000 人を集めて行った書道気功「神筆功」の実演以来。その時の模様は上海市テレビ局と上海市気功科学研究会の連合で生放送され、以後何度も中国全土で再放送される。1985年には公式行事、日中青年聯歓会で書道気功の実演をたびたび行う。1987年8月、日本の医療関係者の招きで、書道気功実演のため来日。秘伝気功を教える。1989年10月、日本人女性と結婚。1997年、日本に帰化。1991年、ロサンゼルス気功協会の招きで渡米。1993年から2010年の間にフランスの医療団体より招かれ7回渡仏。その際、フランステレビ局、EUテレビ局が取材。フランス、ドイツで放送される。1993年5月、早稲田大学人間科学部において「東洋医学の人間科学」の講義をする。1997 年4 月、テレビ東京系全国ネット「レディス４」、東急ケーブルテレビ局に生出演し、気功を披露する。2001年から7年間、福建医科大学日本校気功専科、財団法人スポーツ会館気功教師。2006年、戸板女子短期大学でオープン講座を持つ。1991年から2013年まで有限会社ヒューマン・ギルドで気功講座を持つ。現在、秘伝気功師養成講座、自由が丘教室ほか、講演活動を通して秘伝気功の普及に尽力する。スポーツ界、芸能界にもファンは多い。上海市気功科学研究会会員、上海市心理学会会員・主管医師。

著書に『気功革命』シリーズ（コスモス・ライブラリー）、『気功革命 秘伝奥義 集大成』(KuLaScip)がある。

編集・書き起こし
田口 京子（たぐち きょうこ）

1965 年、石川県金沢市出身。
1990 年、金沢大学大学院理学研究科修士課程（物理学専攻）修了。同年、花王株式会社入社。総合美容技術研究所室長、経営戦略部マネジャーなどに従事。社長賞 3 回受賞。
2017 年、起業のため退社。
2018 年、出版社、株式会社 KuLaScip（クラシップ）創業。
2018 年、『気功革命 秘伝奥義 集大成』（盛鶴延著）出版。

2006 年、宿泊先の新潟県ランプの宿、駒の湯山荘にて、気功のワークショップに来ていた盛鶴延老師と偶然出会う。時空など物理的な問いに対し、物事の理から論理的に簡潔明快に応えてくださる盛鶴延老師に魅了され、秘伝気功塾（自由が丘教室）に通い始める。2014 年、更に気功を深く体系的に学ぶため、盛鶴延秘伝気功師養成コースに通う。秘伝気功師資格取得。
2015 年、中国 5 千年の歴史からなる気功文化の中医学の智慧を学ぶため、国立北京中医薬大学日本校入学、2017 年中医中薬専攻科修了。国際中医師資格取得。
いつか「気」から「功」に成ることを思い、日々気功を修行中。

気功奥義 解説書
自分の健康を、自分で守るために大切なこと。

発行日　2023年4月27日　第1刷

著者　盛 鶴延（せい かく えん）
編集　田口京子（書き起こし）
題字　盛 鶴延
装幀デザイン　Malpu Design（清水良洋）
本文デザイン　小林祐司
イラスト　にゃんとまた旅（ミューズワーク）
校正　株式会社鴎来堂
印刷・製本　株式会社シナノ
Special Thanks　山内歩

発行者　田口京子
発行所　株式会社 KuLaScip（クラシップ）
154-0024　東京都世田谷区三軒茶屋 1-6-4
https://kulascip.co.jp

盛 鶴延 秘伝気功塾の情報はウェブサイトでご覧になれます。
http://www.kikoukakumei.com

本書に関するご意見・ご感想は株式会社 KuLaScip（クラシップ）までお願いいたします。
Email : info@kulascip.co.jp

ISBN 978-4-9910148-7-1